Pilates
para el dolor
de espalda

Pilates
para el dolor
de espalda

¡Programas de ejercicios suaves
para ganar calidad de vida!

Barbara Mayr

TUTOR

Editor: David Domingo
Coordinación editorial: Paloma González
Traducción: Cristina Rodríguez
Revisión técnica: Gema García Moresco

Título original: *Mein Pilates-Rückenbuch* de Barbara Mayr
Publicado originalmente en alemán por Verlag Carl Ueberreuter, Viena (Austria).

Copyright © 2009 *by* Verlag Carl Ueberreuter, Wien
      © 2010 *by* Ediciones Tutor, S.A.
Marqués de Urquijo, 34. 28008 Madrid
Tel.: 91 559 98 32. Fax: 91 541 02 35
E-mail: info@edicionestutor.com
www.edicionestutor.com

Socio fundador
de la World Sports Publishers' Association
(WSPA)

Cubierta y maquetación: Claudia Stockinger
Ilustraciones: Sabine Gasper Mautes y Christiane Schmitt
Fotografías: Dimo Dimov

ISBN: 978-84-7902-830-5
Depósito legal: M-15-286-2010
Impreso en Brosmac, S. L.
Impreso en España – *Printed in Spain*

Contenido

¡En marcha! -- 7

Leer puede cambiar tu cuerpo -- 8

Respirar: algo más que coger aire --- 10

La fuerza que proviene del centro --- 14

Sobre pies libres -- 23

Ejercicios: Respiración desde el centro ----------------------------------- 30

Ejercicios: Paso elegante y elasticidad ----------------------------------- 52

Ejercicios: Espalda feliz y movilidad ------------------------------------- 68

Joseph Pilates: impulsor, pionero e inventor ------------------------------ 152

Al comenzar -- 157

¡En marcha!

"Siempre vemos el mejor camino. Pero la mayoría de las veces tomamos sólo el camino al que estamos acostumbrados."
Paulo Coelho

"¿Cómo convertirse en campeón del mundo y ganador olímpico? ¡Con mucho esfuerzo y una respiración profunda! ¿Qué más se necesita? Estar bien sustentado sobre las piernas. Éstas te ayudan a transportar tu entusiasmo y tu resistencia sobre ellas. Ahora ya sabes cuál es el secreto. Sé amable con tus piernas. Empieza por tus pies. Cuida tu equilibrio, tu agilidad y tu elasticidad. Barbara Mayr te mostrará cómo hacerlo.

Mucho éxito y buena suerte."
FRANZ KLAMMER
(Campeón olímpico, varias veces campeón del mundo)

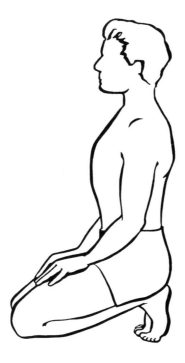

Tipo de ejercicio de Franz Klammer para la espalda: arrodillarse con los dedos de los pies flexionados durante cinco segundos; levantarse despacio.

Leer puede cambiar tu cuerpo

Tres claves para una mayor calidad de vida. Los tres fundamentos del entrenamiento. Ah, sí: ¡Y, por favor, actitud positiva y sonrisa!

Pilates para el dolor de espalda te ayudará a vivir más libre. Existen tres claves para ello: **respiración** consciente, activación de la **musculatura del tronco** y postura erguida consciente, **sobre las dos piernas.** De este modo tan sencillo puedes mejorar tu calidad de vida. Al soltar tensiones, recobras la elasticidad y con ello tu bienestar y tu atractivo físicos. La respiración consciente te relajará y te aportará vitalidad. Tu centro corporal te ayudará a utilizar este efecto de una manera bien coordinada. Y dará "alas" a tus pies. Te invito encantada a recorrer este camino conmigo.

Para comenzar, quiero indicarte **tres ideas básicas para el entrenamiento:**

1. La velocidad mata:

Así que entrena despacio. Los movimientos bruscos y rápidos reducen la eficacia y la seguridad del entrenamiento. *"You must always do it slowly and smoothly. Then your whole body is in it."* ("Entrena siempre despacio y con suavidad. De este modo tu cuerpo entero estará presente"; Joseph Pilates).

2. Forzar es perjudicial:

Un movimiento que no puede realizarse despacio y con control, es más perjudicial que provechoso. Forzar aumenta el riesgo de lesiones e incluso favorece un envejecimiento prematuro.

Deja que tus logros te estimulen. Estarás mucho más cerca de tu objetivo de lo que crees. Y ¡sonríe todo lo que puedas!

3. ¿Por qué sonreír?

El estrés suele manifestarse a través de tensiones musculares. Un ejemplo de ello son hombros levantados, dientes apretados y cabeza encogida. Todo esto genera tensión en la musculatura de la mandíbula, la cara y la nuca. "Sonreír" significa mostrarse halagüeño con amabilidad a uno mismo interior y exteriormente.

Esto tiene un efecto relajante en la musculatura de la cara y en la musculatura limítrofe de la cabeza, la nuca y el cuello. A través de un mejor riego sanguíneo se relajan también

importantes grupos musculares y se consigue –como una bonificación extra, por así decirlo– un buen suministro de oxígeno en los centros vegetativos cerebrales situados en la base del cráneo.

Para aquellos que quieran tener más referencias de testimonios: Frank Hartmann, musicopedagogo y profesor de Qi-Gong (Chi-Kung), opina que las tensiones en las áreas mencionadas cortan "el paso del aire", reduciendo de este modo la absorción de oxígeno y la energía. Pero además, un nivel de energía bajo significa una movilidad reducida y un incremento del estrés. Las tensiones en la base del cráneo pueden incluso bloquear en la cabeza el flujo de la conciencia corporal.

Con 30 segundos comienzan los efectos
El proceso surte efecto más rápido de lo que piensas: 30 segundos de masaje en los pies y ya sientes un efecto agradable. Ese tiempo es suficiente para relajar tu cuello y hombros. Para aumentar la capacidad respiratoria se necesitan unos tres meses de entrenamiento, siempre y cuando te concedas diariamente de tres a cinco minutos de respiración consciente.

Después de unos tres meses detectarás una mejoría en tu sistema inmunitario. Para superar tensiones musculares duraderas se necesita un poco más de tiempo. ¿Cuánto? Entre seis a doce semanas. Eso depende totalmente de ti.

Pero algo es seguro: si entrenas de forma regular la respiración, la relajación y la movilidad, el éxito está garantizado.

Mucho éxito y buena suerte
Barbara Mayr

Respirar: algo más que coger aire

Lo más fácil de hacer del mundo: la respiración dirigida de forma consciente tiene incluso un efecto adelgazante. Y los ejercicios respiratorios pueden realizarse de forma desapercibida, en público, en cualquier lugar.

Por suerte, respirar es algo natural. Activar uno mismo, sin esa naturalidad, cada respiración de tu vida sería algo imposible.

En cambio existe una excepción –es decir, una **respiración consciente y autocontrolada**–, que constituye una parte importante del entrenamiento de Pilates. Al contrario que sucede en otros órganos (hígado, riñones, etc.), podemos influir en la respiración con nuestra voluntad. "La respiración es el fundamento" y "la primera tarea es respirar bien", escribe Joseph Pilates en 1934 en la documentación de su método (*Pilates, Your Health*).

Fue uno de los primeros que hizo hincapié en la correcta respiración como fundamento para el éxito del entrenamiento.

Para transmitir a sus alumnos el significado de la respiración consciente, Joseph Pilates construyó una especie de molinillo de viento con una pajita (*"Breathing Wheel"; www. pilates-gratz.com*). Tú mismo puedes elaborar uno fácilmente con un molinillo de viento de juguete y una pajita, y mediante medios sencillos entender cuánta energía se libera con la respiración consciente. Disfrútalo, y cuando ya no utilices más el molinillo, tus hijos, nietos o sobrinos estarán encantados con él.

Sobre la interacción positiva entre la respiración y el cuerpo existe actualmente muchísima literatura. Médicos, terapeutas, profesores de yoga y de técnicas respiratorias recomiendan diferentes métodos para utilizar la respiración como beneficio para la salud y en el éxito de los entrenamientos.

Breathing Wheel *de Pilates.*

Incluso los rigurosos científicos han confirmado lo siguiente: "La concentración en la respiración estimula la circulación sanguínea. El corazón bombea más sangre. De este modo se provee mejor de nutrientes al cerebro, los nervios, los órganos y los músculos". Así explican el médico americano Dharma Singh Khalsa y su coautor, Cameron Stauth, en el año 2002 la importancia de la respiración (*Khalsa, Stauth, Meditation*). Resaltan también la interacción entre el movimiento respiratorio y la función del intestino grueso y el hígado, así como el efecto positivo y estimulante sobre la digestión. Khalsa también está convencido de que la respiración (a través del sistema nervioso central) influye en los procesos de la consciencia del ser humano, y con ello en la vida emocional y las sensaciones. Para él es indiscutible el efecto vital de la respiración sobre toda la columna vertebral.

"Una espiración y una inspiración profundas consiguen proporciones de presión que cambian rítmicamente y tienen un efecto beneficioso en los órganos pectorales y abdominales, especialmente en el intestino y los riñones", escribe también el médico alemán Hans Greissing (1925-2002). Una inspiración bien coordinada y una profundización del diafragma desarrollan un despliegue máximo de los tejidos pulmonares. De este modo aumenta la cantidad de sangre enriquecida con el oxígeno. Profesores de técnicas respiratorias y de Qi-Gong, como el maestro residente en Múnich, Zhi Chang Li, o la fisioterapeuta Inka Jochum, corroboran la teoría de la respiración: en la medicina tradicional china (MTC)

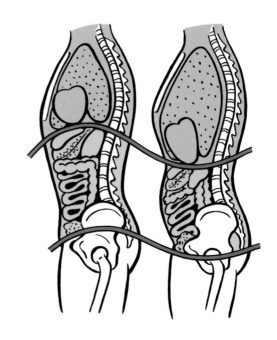

El osteópata y psicoterapeuta vienés Alexander Toth escribe que todos los órganos internos "dependen" del diafragma. Con cada respiración también se mueven de forma automática muy suavemente el hígado, los riñones, el bazo, el estómago y otros órganos.

los pulmones están considerados como el órgano que va unido al valor, la honestidad, la capacidad de adaptación, el desapego y el vacío. En la MTC la tristeza, la preocupación y la depresión son símbolo de pulmones débiles. Incluso la piel y el cabello dependen de unos pulmones con un buen funcionamiento.

Todo esto puede ocurrir a través de una respiración simple pero consciente. No es de extrañar que Joseph Pilates diera tanta importancia a la respiración.

¡Respirar adelgaza! Los músculos que se activan al espirar el aire discurren como piezas de una espiral alrededor de nuestro cuerpo. Dichos músculos son los siguientes: músculos elevadores de las costillas, músculos pectorales, diafragma, músculos abdominales internos, transversos, diagonales y oblicuos, musculatura del suelo pélvico, músculos del muslo.

Imagínate el recorrido de este grupo de músculos como si fueran las tiras de un vendaje. Instructores de Pilates como Marie José Bloom o el médico Richard Smišek hablan de "grupos de músculos ordenados en forma de espiral". El médico suizo Christian Larsen ha desarrollado un método de entrenamiento, la "dinámica en espiral", basado en este supuesto.

Representación esquemática de una cadena muscular, en la que participa la musculatura abdominal (Anatomie des Menschen, pág. 267).

Al espirar liberamos la mitad de nuestro cuerpo con estos grupos de músculos. Se nota rápido el efecto. Observa cómo se estrecha la región torácica y la cintura al exhalar el aire. La acción de exhalar el aire produce reacciones físicas adicionales: se relajan la musculatura intercostal y el diafragma.

Además, al espirar soltamos sustancias perjudiciales ("aire utilizado") que nuestro cuerpo ha acumulado.

No existe espiración sin inspiración. Lo más importante al inspirar es absorber nueva energía en forma de oxígeno. Esto permite abastecer de nutrientes y de riego sanguíneo a los músculos, lo que evita o disminuye las tensiones musculares (¡por supuesto, prefiero que no sepas lo que es una tensión muscular!).

Lo fascinante en el entrenamiento de la respiración es que es totalmente gratis y puede efectuarse en cualquier parte. No se necesitan aparatos deportivos, ni siquiera una ropa especial (excepto, tal vez, aflojar un poco el cinturón).

La respiración, con todos sus efectos secundarios positivos, ocurre en nuestro cuerpo unas 23.000 veces cada día, en su mayor parte sin una percepción consciente. Igualmente desapercibidos, se movilizan diariamente doce metros cúbicos y medio de aire con la musculatura, mientras respiramos. ¡Y eso día a día, a lo largo de toda tu vida!

Muchas antiguas civilizaciones desarrolladas reconocían ya la importancia de la respiración. De ahí que términos como "aliento" se utilicen no sólo para la respiración, sino también para el espíritu y el alma.

la energía o fuerza vital universal. Un significado parecido tienen las palabras Qi (pronunciado: "chi" –China–) y Ki (pronunciado: "ki" –Japón–). Actualmente, disciplinas de entrenamiento integral como el yoga siguen viendo aún la respiración como una intermediaria entre el cuerpo y la conciencia.

Se puede influir sobre los procesos de conciencia mediante una concentración prolongada en la respiración y a través de técnicas de respiración dirigidas de forma consciente. Efectos similares a los que observamos también en muchas técnicas de meditación y relajación.

Ya ves el gran influjo que tiene la respiración en tu bienestar físico, tu postura y en la calidad de tus movimientos. Por eso, en este libro, la respiración tiene en los ejercicios una función clave importante. En cada ejercicio encontrarás propuestas sobre la respiración. Utiliza este potencial para influir de forma positiva en el éxito de tu entrenamiento.

Los antiguos egipcios adoraban entre otros a la diosa Selket. Selket significa algo así como "la que permite respirar". En las enseñanzas hinduistas la palabra "Prana" significa respiración o aliento vital, y está considerada como

Por decirlo en un suspiro: a través de la respiración consciente se pueden mejorar el bienestar físico, la relajación muscular, la concentración, la actitud vital e incluso la figura física. En el siguiente capítulo, sobre el centro, la respiración también ejerce un gran papel.

La fuerza que proviene del centro

Dónde se desarrolla la respiración; la vigorosa estructura del centro. Cómo explorar el suelo pélvico y cómo influyen los grupos de músculos.

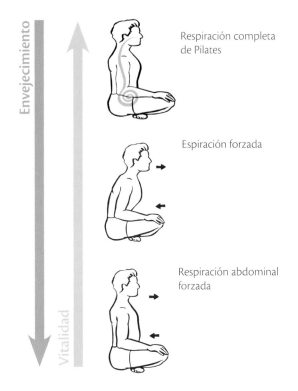

Respiración completa de Pilates

Espiración forzada

Respiración abdominal forzada

La respiración y los pulmones aportan **oxígeno** nuevo y un gran "power" a la circulación sanguínea y con ello al **centro**. Por el centro del cuerpo circula más de la mitad de la sangre. Los riñones, el hígado y las vísceras reciben juntos el 55 por ciento de la energía absorbida a través de la respiración (Klein *et al.*, *Biomechanik*).

Los grupos de músculos superpuestos en capas alrededor del **centro del cuerpo** (no confundir con los "músculos flotadores", casi siempre masculinos) son la segunda fuente de fuerza que proviene del centro. Mi admirada instructora de Pilates, Marie José Bloom, denomina a estos grupos de músculos de la zona de la pelvis, abdomen y espalda con el término *"powerhouse"* (centro de fuerza). Este término se ha extendido en toda la gran familia de Pilates, casi en todo el mundo, y también nos acompañará en este libro.

El *centro* te facilita el movimiento natural coordinado de tronco, brazos y piernas con el mínimo gasto de energía. Con la fuerza del centro se mejora también la expresión corporal y el atractivo físico.

El músculo más importante de la espalda es el músculo múltiple de la columna vertebral (*musculus multifidus*). Este músculo abre la espalda, por así decirlo, al unir las apófisis transversas con las apófisis espinosas situadas encima. Debe su nombre a su distribución en forma de abanico.

El suelo pélvico; terreno desconocido

El suelo pélvico es para el centro lo que una capital es para su estado. Pero para muchas personas, especialmente del sexo masculino, hablar del suelo pélvico es como "hablar en

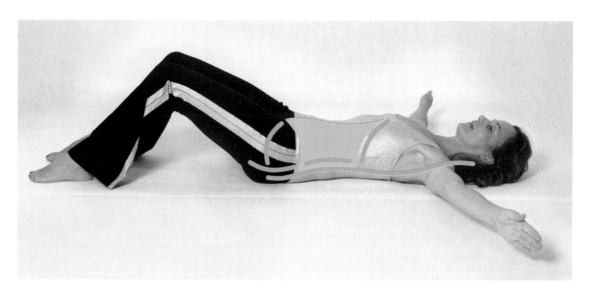

"El fantástico Cinco" para la fuerza del centro: "El centro de fuerza Pilates" (suelo pélvico, músculos abdominales transversos, diafragma, músculo iliopsoas y músculo múltiple de la columna vertebral).

chino". Sin embargo, deberíamos conocerlo bien y aprender a moverlo.

Increíble pero cierto. La pelvis es la "cuna" de nuestro cuerpo. El suelo pélvico es una obra de arte total de músculos, ligamentos y nervios. Es también un importante centro de sensaciones eróticas. El poder del **suelo pélvico** es enorme. Cualquier atención que le prestemos nos beneficiará enormemente.

Sólo con mantener una atención consciente sobre el **suelo pélvico** se estimula su circulación sanguínea. Esto mantiene la capacidad de rendimiento de las estructuras musculares, genera bienestar y tiene también un efecto positivo en los músculos de nuestra espalda, abdomen y piernas. El centro está interconectado tanto con el **suelo pélvico** como con la musculatura de los muslos. Una buena postura, un paso ágil y una espalda fuerte y erguida

tienen su base en un **suelo pélvico** fuerte. Los profesores orientales del movimiento valoran el **suelo pélvico** como fuente de energía vital (chakra raíz = rueda, disco). En el hinduismo tántrico, el Vajrayana budista, el yoga y en la medicina tradicional china, el suelo pélvico está relacionado con la estabilidad, la voluntad de vivir, la fuerza vital, el instinto de supervivencia, la seguridad, la autoconfianza, la conexión con la tierra y la absorción de energía terrestre. En el nivel físico se relacionan con el **suelo pélvico** el intestino grueso y el recto, el nervio ciático, las glándulas suprarrenales, los huesos, las piernas, los pies, los dientes, las uñas, la producción de sangre y la digestión.

Algunas personas son de la opinión de que el tema del **suelo pélvico** es un asunto exclusivamente de mujeres, pero posiblemente sean hombres los que al final sólo buscan la felicidad en píldoras para incrementar la potencia sexual y otros medios, y no trabajando su cuerpo. Sin embargo, cada vez hay menos hombres de este tipo…

Un **suelo pélvico** activo estimula la vitalidad tanto en mujeres como en hombres (fuerza vital). Se incrementa el rendimiento físico, la capacidad mental, el atractivo, la autoconfianza, el deseo sexual y la alegría de vivir.

Para activar el **suelo pélvico,** imaginémonos que cerramos al mismo tiempo el orificio urinario, el vaginal y el anal, sin apretar los glúteos "mayores" externos (de lo contrario se desequilibra la posición neutral de la pelvis).

Un **suelo pélvico** activo es un regalo que se debería conservar siempre. Puedes estimular la fuerza vital de tu pelvis en cualquier momento y en cualquier parte. Un poco como cuando respiras conscientemente. Al espirar el **suelo pélvico** se eleva. Y se mueven suavemente la vejiga, el intestino grueso y delgado, así como los respectivos órganos sexuales: próstata, útero y ovarios.

La columna vertebral se estira. Se descarga la presión de las vértebras y los discos intervertebrales. A través de la relajación los omóplatos se hunden de forma totalmente natural, lo que libera también los tendones y ligamentos de la nuca. Cada respiración refuerza este efecto.

Conéctate a la fuerza vital de tu pelvis. Es un camino fácil y comprobado para sentirse más

Para sentir el suelo pélvico y entrenar mejor, puedes sentarte sobre un cojín enrollado.

joven y lleno de vitalidad. El **suelo pélvico** te facilita los movimientos ya familiares.

Comienza a activar de forma normal y consciente la pelvis. De este modo tus movimientos se harán más dinámicos, generando una agradable sensación de bienestar.

El genial Joseph Pilates lo formularía hoy de esta forma: el centro aporta fuerza al movimiento.

El investigador deportivo y varias veces entrenador olímpico, Lothar Pöhlitz, escribe sobre el significado del centro del cuerpo: una musculatura débil alrededor del centro del cuerpo provoca más pérdida de energía y dificulta el movimiento de todo el sistema.

La figura del corredor tiene cierto parecido con el perfil de Joe Pilates a la edad de 53 años. Las líneas marcadas representan seis importantes cadenas musculares. Así presenta la ciencia del deporte los grupos de músculos que reaccionan interconectados.

La cadena muscular violeta se ocupa del estiramiento de espalda, brazos y piernas; la cadena muscular roja muestra el recorrido de los grupos de músculos responsables de la flexión; un centro del cuerpo o "powerhouse" entrenado posibilita el equilibrio natural de ambos grupos musculares (tomado de Anatomie des Menschen).

Observa la concentración y los puntos de intersección de estas cadenas musculares en el **centro del cuerpo**. Un *centro* activo garantiza, a través de un cuerpo alineado de forma natural, una reacción muscular sin problemas. El centro se ocupa también, en el verdadero sentido de la palabra, de una buena e íntegra movilidad desde la cabeza hasta la punta de los pies.

Cuando nos movemos, la mayoría de las veces se activan varios grupos de músculos al mismo tiempo. Por ello, conviene entrenar estas cadenas musculares con precisión. Un ejemplo: músculo pectoral mayor, músculo abdominal oblicuo externo, músculo abdominal transverso interno, glúteo medio, músculo tensor de la fascia lata, músculo tibial (tomado de *Anatomie des Menschen*).

La musculatura abdominal está conectada también con las piernas.

Este grupo muscular está formado por la musculatura abdominal, músculo psoas, músculo

Un centro débil impide un aumento del rendimiento en el entrenamiento y suele ser a menudo causa de lesiones e inestabilidad. Por ello el objetivo más importante es conseguir más fuerza y libertad de movimiento alrededor del centro. Es importante aumentar despacio y de forma equilibrada las propuestas de entrenamiento. Pöhlitz subraya también la importancia de una coordinación armónica entre la musculatura del **centro corporal** con las **piernas** y los **pies**.

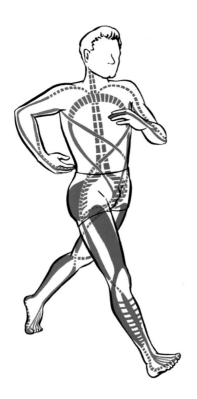

musculatura (reducción de los músculos). Y otra consecuencia desagradable: los músculos desequilibrados disminuyen la movilidad y capacidad de reacción de otras zonas musculares (los llamados adversarios, antagonistas).

Pero después de pintarlo todo tan negro, llega ahora la anunciada buena noticia: tan sólo con una simple inclinación del tronco o un cambio en la posición de las piernas se puede influir positivamente en la sobrecarga de estos grupos de músculos. A través de las conexiones entre los músculos interconectados, cada movimiento activa una estructura muscular completa, del mismo modo que sucede en una reacción en cadena.

Interrelación de las cadenas musculares en el centro del cuerpo (tomado de Anatomie des Menschen*).*

ilíaco, y la primera de las cuatro cabezas del músculo cuádriceps.

"Estar bien sentado" a veces no es tan fácil. Estar sentado a menudo durante mucho tiempo significa para las dos cadenas de músculos "implicadas" una fuerte carga unilateral.

No es de extrañar que esta musculatura con un "acortamiento" (para ser exactos se denomina "desequilibrio muscular") reaccione de forma poco agradable. El acortamiento muscular limita el rendimiento y la velocidad del movimiento. A largo plazo las consecuencias pueden derivar en tensiones o dolores musculares. Además, el "desequilibrio muscular" provoca también el encogimiento de la

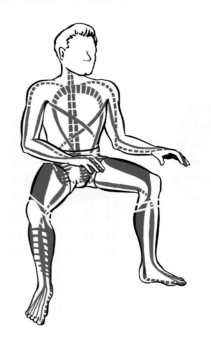

El centro soporta el equilibrio de las cadenas musculares y de este modo mantiene la movilidad natural y la capacidad de reacción.

Sentarse erguido con un *centro* activo y continuos cambios de posición tiene un efecto

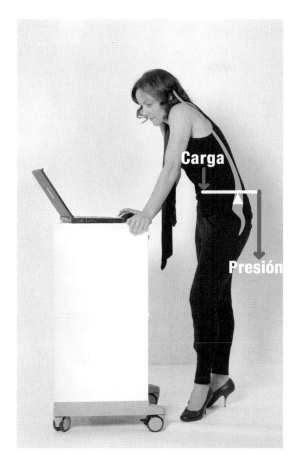

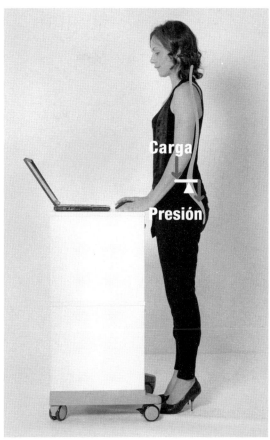

Una espalda encorvada obliga a los músculos de la espalda a invertir más fuerza: de este modo aumenta la carga sobre los discos intervertebrales; las mesas y superficies de trabajo demasiado bajas favorecen una posición encorvada.

Una posición erguida natural relaja la musculatura de la espalda y los discos intervertebrales; las mesas y superficies de trabajo altas favorecen la posición erguida de la columna vertebral.

descongestionante, en el verdadero sentido de la palabra. De este modo se pueden prevenir posibles limitaciones del movimiento.

Con un *centro* activado y sus cinco fantásticos grupos de músculos se protege y soporta el centro del cuerpo y también la espalda en posición de pie.

En la fotografía izquierda me inclino sobre los ligamentos de la columna vertebral. Por eso, éstos tienen que aplicar más fuerza (pasiva). Un entrenamiento en esta postura flácida aumenta la carga sobre las vértebras afectadas. El camino más sencillo para evitar estas fuerzas perjudiciales pasa por mantener una posición erguida natural y por la activación del *centro*.

En la fotografía derecha activo los músculos del *centro*. Reduzco la carga sobre la columna vertebral mediante una posición erguida natural. Esto disminuye también la presión que ejerce la carga del abdomen y del tronco sobre la columna vertebral. De este modo se relajan los músculos afectados de la espalda y los discos intervertebrales.

Las líneas muestran esquemáticamente la ubicación del sistema nervioso simpático en la región de la columna vertebral; una postura permanente encorvada o torcida influye de forma perjudicial en el suministro de sangre y en la capacidad funcional de los nervios.

La posición erguida y el movimiento consciente favorecen la capacidad funcional natural de los nervios y aseguran un óptimo abastecimiento de oxígeno y de nutrientes.

Aquí se ve que el camino más fácil para conseguir la **fuerza del centro** pasa por la activación de la musculatura que rodea el centro del cuerpo. La fuerza que se ahorra de este modo posibilita un incremento del rendimiento en las zonas implicadas. Si tienes cuidado al levantar algo pesado y mantener el peso todo lo cerca posible del tronco, estarás en el buen camino de aligerar tu vida de forma duradera.

Una activación natural de la musculatura del *centro* en el centro de nuestro cuerpo contribuye además a reducir la "tensión nerviosa" condicionada por la postura.

¡Observa de qué forma tan ingeniosa se ordena el sistema nervioso simpático en el área de la columna vertebral! Una posición alineada natural —con la activación de los músculos del *centro*— facilita el funcionamiento de los nervios en esta zona.

Una manera para estar seguro de que nada "te saque de quicio" innecesariamente.

Nervios, músculos y cerebro interaccionan juntos de forma natural, de un modo admirable y magnífico. Las personas que se mueven con naturalidad y de forma saludable, generalmente no necesitan ninguna mejoría. Alégrate si perteneces a este grupo de afortunados.

En las tensiones musculares condicionadas por la postura, las fuerzas de tracción y de presión pueden incluso obstruir el riego sanguíneo de los nervios. Al mismo tiempo perjudican la "conductividad" de los nervios de "mensajes" eléctricos y químicos.

Evitar dichos daños es muy gratificante. Por ejemplo, tu *centro* puede estrechar tu cintura activando el músculo abdominal transverso. Con ello el tronco se estira –en posición erguida– hacia arriba, lo que descarga los discos intervertebrales, así como los músculos de sujeción y los nervios de la columna vertebral. Junto con el músculo dorsal ancho de la espalda (*latissimus dorsi*) se forma una cadena de músculos a modo de espiral alrededor de la espalda.

Su efecto también crea estabilidad durante el movimiento y estira el cuerpo hacia arriba. De esta forma se aumenta la distancia entre las diferentes vértebras –sobre la medida natural– y se evitan dolores causados por tensiones musculares o tensión nerviosa.

La fuerza que proviene del centro aligera también los movimientos cotidianos, mejorando la capacidad de rendimiento y aumentando el atractivo físico.

Activar el centro

Cómo activar el centro de poder, tu centro: inspira y activa tu suelo pélvico, al exhalar el aire tira de tu ombligo en dirección a la columna vertebral hacia dentro y ligeramente hacia arriba. Sigue respirando despacio, manteniendo el ombligo ligeramente recogido hacia dentro. ¡Pero sin forzar!

Una ayuda excelente para recordarte activar tu "Fantástico Cinco" al entrenar y durante las actividades de la vida cotidiana, es el cinturón vital de Pilates o el "Pilates Vitality Trainer".

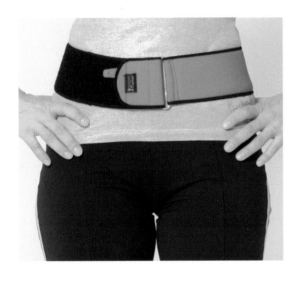

"Pilates Vitality Trainer": el cinturón ideal para conseguir un abdomen plano, una espalda saludable, una postura corporal atractiva y una alta capacidad de rendimiento.

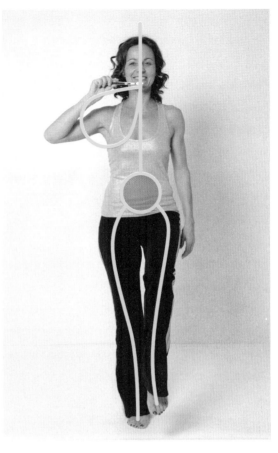

Un paralelo con el centro del Pilates se encuentra en las acreditadas tradiciones del yoga, como el Yoga Kundalini, donde se practica la cerradura de la raíz (Mula Bandha). Un efecto descrito de este ejercicio es la mejora de la concentración.

La activación de la alegría de vivir y la fuerza vital pueden conseguirse también mientras te lavas los dientes. Se puede experimentar la fuerza del centro de tu cuerpo, tu equilibrio y tu sonrisa de forma consciente en casi todas las partes.

Pero no existe ningún centro sin un suelo pélvico y unas cadenas musculares sólidos, que se ocupan de la tensión y relajación del cuerpo de forma saludable. La **respiración** y el **centro del cuerpo** se apoyan además sobre unas **piernas** firmes: continúa leyendo.

Sobre pies libres

Los pies y las piernas como fundamento del cuerpo. Si se mueven bien, el cuerpo entero se siente mejor.

¿Por qué ocuparnos del pie? Al estar de pie relajamos las tensiones de nuestra espalda, mientras distribuimos el peso corporal sobre las dos plantas de los pies. En posición sentada el peso se concentra a lo largo de la espalda. Al estar de pie y al caminar, los músculos de los pies, de las piernas y del tronco se reparten el trabajo. En posición sentada tu espalda ha de realizar más esfuerzo. Los músculos del pie y de la pierna no sometidos a una carga se van atrofiando. La atrofia (término que procede del griego y que significa "enflaquecimiento", "falta de alimentos"; término médico para atrofia de los tejidos) incrementa la sobrecarga en las células y acelera el proceso de envejecimiento. Así que mejor ir por la vida **muy bien sustentado sobre las dos piernas.**

Igual que en el centro, también existen en las piernas cadenas de músculos que repercuten con una reacción masiva hasta la punta de los dedos y de la nuca (ver páginas con los gráficos). Por ejemplo, para dar un gran salto de alegría o practicar una animada polca se necesita el paquete completo de: músculo sóleo, músculo del gemelo, las cuatro cabezas musculares del cuádriceps y el músculo del glúteo mayor. Una musculatura de la pierna entrenada de forma regular garantiza una elasticidad natural, movimientos dinámicos y, por lo tanto, una mayor vitalidad.

"Somos tan jóvenes como lo son nuestros pies", dice el maestro Yu Jae-Sheen. Cinco minutos de gimnasia de los pies cada día mejoran la movilidad, el equilibrio y la salud de músculos, articulaciones y huesos. ¿Increíble? Pruébalo.

Arrodillarse con los dedos de los pies flexionados durante cinco segundos; levantarse despacio.

Incluso puedes continuar leyendo mientras practicas este ejercicio recomendado por Franz Klammer, campeón mundial y campeón olímpico de esquí alpino. ¿Notas la diferencia en tu espalda al ponerte despacio de pie después de este ejercicio? Apóyate ahora sólo sobre una pierna. Tendrás más estabilidad en la articulación del tobillo.

¿Pies sueltos para una espalda feliz? ¡Libera tus pies! Es mucho más fácil de lo que crees.

Ponte de pie a menudo apoyándote sobre los dedos de los pies. Camina por la playa sobre la punta de los pies. Traslada el peso de una pierna a la otra. Ponte de pie sobre una pierna.

Con un poco de práctica –y sin exagerar–, hasta practicar en público puede pasar inadvertido. No se necesita tiempo adicional para los ejercicios. Utiliza los tiempos de espera en la parada del autobús, el supermercado o delante de la taquilla del teatro para realizar un pequeño entrenamiento de pies.

También tú y tus pies podéis practicar en casa al ducharte, lavarte los dientes, leer, escuchar la radio o ver la televisión.

Al principio, arrodíllate 30 segundos por la noche mientras lees, escuchas la radio o ves la televisión, más adelante unos minutos más alternando con los dedos de los pies flexionados y después estirados. Puedes colocar un cojín debajo de la articulación del tobillo, si te resulta más cómodo. Respira diariamente de forma consciente durante dos minutos sentado con las piernas en cruz. Al principio, coloca un cojín debajo de los glúteos. Aplica un masaje suave en los dedos de los pies, en los pies y en las piernas. Por favor, ve intensificando los ejercicios despacio y sin forzar.

También puedes practicar el entrenamiento para tus pies y tu bienestar físico en la cama antes de acostarte y al levantarte.

Después de dos a tres semanas de practicar estos ejercicios sentado con las piernas en cruz y gimnasia para los pies, lo notarás en tu propio cuerpo: la flexible musculatura de las articulaciones del pie y de las caderas mejorará su movilidad. Tus movimientos serán más elásticos y tendrán un aspecto físico más dinámico y atractivo. Tu pelvis y la base de tu espalda respirarán aliviadas. Podrás doblarte con más agilidad y erguirte con más facilidad. Tu paso tendrá un aspecto más juvenil.

Ganar pie

¿Qué aporta el equilibrio? No sólo tus pies, también tus piernas "expresan" muchas cosas. Por ejemplo, tocando la cara delantera del muslo y la cara trasera del mismo, esto te revela bajo qué grado de presión se está. La mayoría de las veces un músculo contraído es un síntoma de que se mantiene el tronco muy inclinado hacia delante, y debe equilibrarse por la musculatura de la espalda y de la pelvis. Con un par de sencillos ejercicios de equilibrio, estiramiento y coordinación, se ahorra en este caso mucha energía. Además se mejora la movilidad de rodillas y caderas y se previenen dolores de espalda. Nuestros sensores motrices (receptores) suministran a los pies las informaciones con las que regulamos la postura corporal, el equilibrio y el movimiento. Cambios aparentemente mínimos de la postura de los pies pueden provocar una alineación errónea de la articulación me-

tatarso-falángica de los pies, de la articulación del tobillo o del eje de la pierna.

Las consecuencias pueden ser debilitamiento de la tensión muscular y desequilibrio, que se extiende como una reacción de los grupos de músculos a todo el aparato motriz, incluyendo las articulaciones de la mandíbula. Esto provoca también tensiones musculares en la pelvis y la columna vertebral. Es triste pero cierto, en las actividades que realizamos sentados nuestras plantas de los pies suelen permanecer sin que les prestemos ninguna atención.

De este modo faltan estímulos naturales provenientes de la planta del pie para estimular los músculos abdominales. El desequilibrio entre estar sentado, de pie o caminar tiene también su efecto en nuestra conciencia corporal. "Inundamos" nuestro sistema nervioso central con las informaciones percibidas a través de las manos. Con las actividades manuales en posición sentada, como por ejemplo trabajar con el ordenador, "perdemos", en el verdadero sentido de la palabra, cada vez más pie.

Pero esto puede cambiarse fácilmente. Si te tomas un poco de tiempo para mejorar la capacidad de coordinación y la flexibilidad de los pies, tu espalda te lo agradecerá. Un fortalecimiento del arco de los pies mejora la estabilidad, el equilibrio y la postura corporal, y dota a tu paso de una fuerza adicional.

Cuida tus pies

Un breve masaje de pies es algo maravilloso. Tú mismo puedes realizarlo con un cepillo, con tus manos o simplemente andando descalzo de forma consciente. En nuestras viviendas, en general bien aclimatadas, se puede andar descalzo en casa del otoño al verano. Si colocas un poco de gravilla plana sobre la alfombra, tendrán un pequeño y estimulante recorrido para ejercitar el equilibrio en el salón. Si tus pies suelen tener tensiones musculares o contracturas de forma frecuente, te recomiendo pedir consejo a un terapeuta o a un médico. No tiene por qué ser necesariamente un ortopeda. En la mayoría de los casos, tu propio médico de cabecera podrá ayudarte rápidamente a que vuelvas a erguirte relajado sobre los dos pies.

En mi estudio de Pilates y en mis talleres comienzo siempre con un masaje de pies. Es el mejor método para dejar atrás el día y relajarse.

¿Cuánto movimiento necesita el pie?

Únicamente moverse no parece que sea ninguna garantía contra el dolor de espalda. De lo contrario, los hombres de la Edad de Piedra no hubieran tenido dolores de espalda. Pero sí los tenían. Así que la cuestión gira en torno a la calidad y el equilibrio con que nos movemos. Mi abuela sostenía que pasear de forma consciente una hora diaria te hace sentirte feliz. Llegó a los 95 años y durante toda su vida fue una persona abierta y llena de buen humor. El cirujano y ortopeda de Innsbruck, Dieter Gehmacher opinaba que si las personas andaran cada día una hora de forma enérgica, sus colegas y él no tendrían tanto trabajo.

¿Cómo funciona?

El cirujano Hans Joachim Krüger escribe sobre la conexión entre caminar, efecto del entrenamiento y bienestar físico para la espalda: al andar, las vértebras y el tronco giran alrededor de su eje longitudinal mediante los movimientos contrapuestos de piernas y brazos. Esto requiere la participación de todos los músculos importantes y proporciona la reactivación deseada, activando especialmente la fuerza y la capacidad de coordinación en la espalda.

También Angela Merkel, física y Primera Canciller alemana, da importancia al movimiento. Según sus propias declaraciones, como mejor recupera fuerzas es "mediante paseos y trabajando en el jardín"; es decir, ¡moviéndose!

El Departamento Federal Suizo para el Deporte de Magglingen recomienda a modo de orientación auxiliar, practicar al día como mínimo 30 minutos de movimiento consciente. Este primer nivel, que va desde una actividad cero a practicar movimiento, redunda en mayor beneficio si se aplica a actividades cotidianas de intensidad media. ¿Qué puede dañarnos ir caminando siempre o de vez en cuando a encontrarnos con los amigos, ir a la oficina o salir de compras? Utiliza las escaleras fijas en vez de las automáticas o los ascensores. Conseguirás realizar media hora de "movimiento al día" sin añadir un tiempo extra.

30 minutos que mejorarán y cambiarán tu vida

Cornelia Ulrich, del Fred Hutchinson Cancer Research Center, ha demostrado mediante una investigación de doce meses que un entrenamiento de movimiento moderado reduce en un 50 por ciento la predisposición a los resfriados. Moverse durante 30 minutos cada día, cinco veces a la semana, produce un efecto asombroso.

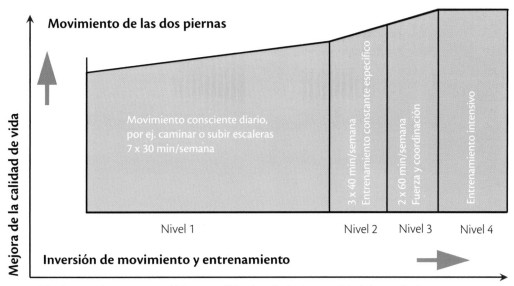

Movimiento de las dos piernas

Mejora de la calidad de vida

Movimiento consciente diario,
por ej. caminar o subir escaleras
7 x 30 min/semana

3 x 40 min/semana
Entrenamiento constante específico

2 x 60 min/semana
Fuerza y coordinación

Entrenamiento intensivo

Nivel 1   Nivel 2   Nivel 3   Nivel 4

Inversión de movimiento y entrenamiento

Niveles para incrementar el bienestar físico, la salud y la capacidad de rendimiento

Fuente: Departamento Federal para el Deporte, Magglingen, Suiza

"El movimiento es el alma de todas las cosas"
Paul Klee (1879-1940), pintor abstracto y diseñador gráfico suizo-alemán.

Ingo Forböse, profesor alemán de Ciencias del Deporte y ortopeda, y Michael Weller recomiendan en sus libros una intensidad de entrenamiento comparable.

Bob Liekens, uno de los instructores americanos de Pilates más famoso, me contó que Joseph Pilates aconsejaba a aquellas personas con pretensiones ambiciosas de entrenamiento, entrenar tres veces a la semana con su método y, adicionalmente, practicar cuatro días diferentes tipos de deportes de resistencia al aire libre.

Comienza paso a paso, sin forzar. La calidad y el disfrute con que te mueves son más importantes que el hecho de cuánto te mueves. No tiene por qué ser necesariamente una carrera de maratón. Tómate tu tiempo para respirar de forma consciente. Disfruta de tus movimientos concentrando toda tu atención, y siempre con una sonrisa.

Resumiendo: da el primer paso. Con sólo 30 minutos se mejora el bienestar físico y se activan los grupos de músculos. Y ahora, de la teoría pasamos directamente a la práctica.

Leyenda de símbolos

En la parte de ejercicios verás algunos símbolos que te recordarán lo sencillo que es mejorar tu alineación corporal y tus movimientos

 PRESTA ATENCIÓN A TU ALINEACIÓN: El eje más importante del cuerpo es la columna vertebral, el eje central vertical. Para ello hay que mantener los hombros a la misma altura, dirigiendo las rótulas hacia delante como los dos faros de un coche. De este modo los ejes de las piernas quedan en paralelo. Las rodillas no deben juntarse ni separarse. El segundo dedo del pie, en el centro debajo del eje de la rótula, ha de apuntar hacia delante.

 PELVIS NEUTRAL EN POSICIÓN TUMBADA: No presionar la parte inferior de la espalda contra la colchoneta (aplanar la columna vertebral lumbar) ni mantenerla alzada (refuerzo de la curvatura de la columna vertebral lumbar). El músculo iliopsoas se mantiene relajado y suelto. No es necesaria ninguna "sujeción".

 CONCENTRACIÓN: Concentrar toda la atención al realizar los ejercicios, manteniendo una respiración tranquila, regular y fluida.

 RESPIRACIÓN TRANQUILA Y REGULAR: Inspirar a través de la nariz, deslizando el ombligo de forma natural hacia delante –no exhalar el aire de golpe nunca–, y sintiendo el espacio torácico lateral y posterior. Exhalar completamente el aire.
En caso de que no se indique otra cosa, espirar el aire durante el entrenamiento siempre al tensar los músculos. Inspirar siempre al revertir el movimiento o al relajar la musculatura.

 ACTIVAR EL SUELO PÉLVICO: Respirar despacio. Alzar el suelo pélvico al inspirar. Continuar respirando y mantener la activación de modo uniforme e intensivo. Para activar el suelo pélvico, imaginemos que cerramos al mismo tiempo los orificios urinario, vaginal y anal. La musculatura de los glúteos se mantiene relajada, ya que en caso contrario la posición neutral de la pelvis pierde su equilibrio.

 EL CENTRO DE FUERZA O EL POWERHOUSE: Respirar despacio. Al inspirar, elevar el suelo pélvico, y al espirar, llevar el ombligo hacia dentro y ligeramente hacia arriba en dirección al diafragma. Se trata de una activación lenta y profunda. Mantener la activación con una respiración uniforme.

 ARTICULACIÓN MAXILAR RELAJADA: Elevar la comisura de la boca formando una ligera sonrisa. Relajar la frente y la mandíbula.

 NUCA RELAJADA: Mantener la cabeza equilibrada sobre el cuello. Presionar la barbilla muy suavemente hacia abajo. Siente el alargamiento de la nuca y relaja la musculatura de la nuca y del cuello. Mantén los omóplatos hundidos. ¡Cíñete una corona "imaginaria" con una sonrisa!

 HOMBROS RELAJADOS: Suelta la musculatura de los hombros, sintiendo cómo el peso de los brazos tira de tus hombros ligeramente hacia atrás.

¡ POR FAVOR, NUNCA ENTRENES cuando tengas algún dolor! Nunca ingieras analgésicos antes del entrenamiento. Lo ideal es entrenar con el estómago vacío. En caso de que –y ojalá que raramente ocurra– tu espalda se convierta en una "cruz", ve a consultar al médico o naturópata de medicina integral de confianza. Este libro no puede ni debe reemplazar la atención de un médico. Por favor, consulta a tu médico si estos ejercicios son adecuados para ti.

Resalta el atractivo físico, potencia el bienestar, relaja y fortalece la espalda.

Preparación

Sentado en una silla. Mantener el peso distribuido sobre las dos plantas de los pies y bajo la pelvis de modo uniforme.

Respiración

Inspirar despacio y profundo, y después espirar también lentamente. Simultáneamente hay que sentir el centro de fuerza ligeramente activado y el calor que se origina en la parte inferior de la espalda.

Tu bienestar aumentará cuando estés en posición sentada. Cambia a menudo la posición sentada.

Variantes

Variante I: Posición sentada erguida con las piernas en cruz. Un cojín debajo de la pelvis facilita la posición.

Variante II: Sentado sobre los talones con el empeine estirado o con los dedos de los pies flexionados. Para facilitar la posición de los pies, colocar un cojín o una toalla enrollados debajo de la articulación del tobillo.

 Nuca relajada

 Hombros relajados

 Pelvis neutral

Consejo: *Relaja los músculos de la espalda sentándote sobre un cojín enrollado o una botella de plástico vacía. Aquí también se aplica: cambia la postura después de 2 ó 3 minutos.*

Postura sentada

Refuerza la concentración, ayuda a soltar tensiones, relaja y reanima, aumenta el volumen de la respiración.

Preparación

Posición sentada erguida con las piernas en cruz o en una silla. Colocar un cojín debajo de la pelvis facilita el entrenamiento con las piernas en cruz.

Respiración

Inspirar despacio y profundamente contando hasta cinco; espirar despacio y profundamente contando hasta cinco.

Al espirar, concentrarse en expulsar completamente el aire de los pulmones, tirando del ombligo en dirección a la columna vertebral todo lo posible.

Los pulmones se llenan automáticamente al inspirar. La pared abdominal regresa a su posición original sin ninguna intervención.
Duración: De 2 a 5 minutos.

Variante

Al inspirar y espirar, obstruir con un dedo, por ejemplo, la fosa nasal izquierda. La otra mano permanece sobre la rodilla. El pulgar y el índice se tocan. Después de 1 ó 2 minutos, cambiar de lado y de mano.

 Hombros relajados

 Articulación maxilar relajada

 Pelvis neutral

Consejo: *Ve aumentando con el tiempo la duración de las respiraciones. Cuenta hasta 7, 14, 21...*
"Con poco aire no se funciona bien. El movimiento con respiración consciente mejora el efecto beneficioso."

Respiración fluida

Reactiva los sentidos, centra y relaja el sistema nervioso central, estrecha la cintura, entrena la musculatura respiratoria y abdominal.

Preparación

Posición sentada erguida relajada, con las piernas en cruz o en una silla. Colocar un cojín debajo de la pelvis facilita el entrenamiento con las piernas en cruz.

Poner las manos lateralmente por debajo de las costillas. Esto permite sentir el movimiento del arco costal hacia los lados.

Respiración

Inspirar: Hay que notar la extensión de las costillas por debajo de los dedos.

¡Los dedos se abren tanto como las costillas!

Espirar: Las costillas y los dedos vuelven a cerrarse. Hacer una pausa en la respiración, es decir, contener el aire.

Espiración profunda: Exhalar el aire más profundamente, las manos soportan la reagrupación de las costillas con una ligera presión.

Duración: De 2 a 5 minutos.

 Concentración

 Nuca relajada

 Respiración tranquila

"Una espiración e inspiración completas mejoran la capacidad de rendimiento de los músculos".
(*Pilates*, Controly, *pág. 56)"*

Respiración antiestrés

Aumenta la capacidad de rendimiento, mejora el riego sanguíneo, reduce tensiones corporales, amplía el volumen respiratorio.

Preparación

Sentado en posición erguida y relajada sobre un cojín o una silla, o permanecer en posición de pie. Las manos colocadas sobre el abdomen.

Respiración

Inspirar por la nariz, sintiendo cómo la pared abdominal eleva ligeramente las palmas de las manos. Inhalar alrededor de un tercio del volumen de la respiración. Inhalar el segundo tercio, presionando suavemente hacia abajo el esternón y la barbilla. Inspirar el último tercio, bajando con suavidad los omóplatos y unién-dolos, mientras, simultáneamente, se rellena de aire el espacio torácico superior. La barbilla se mantiene señalando hacia abajo.

No respirar durante unos segundos para optimizar la absorción de oxígeno. Contener el aire, activando ligeramente el centro de fuerza.

Espirar despacio y tranquilo, con el ombligo dirigido suavemente hacia dentro y hacia arriba en dirección a la columna vertebral.

Después de una exhalación completa, la cintura y el tronco se relajan. Volver a inspirar.

Duración: De 2 a 5 minutos.

 Respiración tranquila

Hombros relajados

Centro

Consejo: *Con un poco de práctica puedes respirar en los tres niveles, contener el aliento y prolongar la espiración del aire de 5 a 10 segundos respectivamente.*

Respiración de la fuente de la juventud

Incrementa la energía sexual, libera de pensamientos negativos, mejora la paz y el equilibrio interiores.

Preparación

Sentado o de pie, en posición erguida y relajada. Si se entrena sentado con las piernas en cruz, colocar un cojín debajo de la pelvis en caso necesario. Se puede intensificar el efecto del ejercicio reposando las manos abiertas sobre las rodillas y manteniendo en contacto la punta del dedo índice con la punta del dedo pulgar.

Respiración

Inspirar durante unos 10 segundos, llevando la barbilla un poco hacia atrás. Contener el aire unos 10 segundos, retrayendo con suavidad el ombligo. Activar ligeramente el centro de fuerza. Espirar durante 10 segundos aproximadamente. Dejar el ombligo hundido todo lo profundo que sea posible para espirar completamente el aire.

Relajarse y sonreír al inspirar.

Duración: De 2 a 5 minutos.

 Centro

 Articulación maxilar relajada

 Hombros relajados

Consejo: *Con el tiempo puedes incrementar los intervalos a 20 segundos. Se mejora la capacidad respiratoria y el equilibrio.*

Respiración de un minuto

Renueva, revitaliza y libera los pulmones de impurezas y sustancias nocivas, refuerza la conciencia corporal y moldea un abdomen plano.

Preparación

Sentado con la columna recta y las plantas de los pies abiertas a la anchura de las caderas. Deslizar los pies hacia delante de manera que todos los dedos queden estirados en el suelo. Inspirar durante unos 10 segundos, llevando hacia atrás la barbilla con suavidad. Después, continuar respirando.

Respiración

Inspirar: Al poner derecha la columna, y al llevar los brazos sobre la cabeza.

Espirar: Al desenrollar o enrollar la columna vertebral.

Descripción del ejercicio

Colocar los brazos en paralelo a la altura de los hombros y estirarlos hacia delante manteniendo la anchura de la espalda.

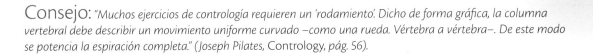

Concentración

Centro

Hombros relajados

Enrollar la pelvis y después desenrollar el sacro, una vértebra lumbar tras otra, las vértebras torácicas y terminar reposando la cabeza sobre el suelo, colocando la pelvis en posición neutral. Al mismo tiempo, llevar los brazos sobre la cabeza hacia atrás en dirección al suelo. Colocar los brazos sobre el suelo lateralmente a la altura de los hombros. Alzar la cabeza, curvar las vértebras cervicales y las vértebras torácicas, mientras los brazos se dirigen hacia abajo junto a la pelvis. Después, curvar la pelvis, los dedos se deslizan –como pequeños escaladores– subiendo lateralmente por los muslos; de este modo ayudan al tronco a levantarse. Incorporarse en la posición inicial.

Repetir de 4 a 6 veces.

Consejo: *"Muchos ejercicios de contrología requieren un 'rodamiento'. Dicho de forma gráfica, la columna vertebral debe describir un movimiento uniforme curvado –como una rueda. Vértebra a vértebra–. De este modo se potencia la espiración completa."* (Joseph Pilates, Contrology, *pág. 56*).

Respiración rodando sobre la espalda

Con este ejercicio se obtiene la base del éxito del entrenamiento. Mejora la postura, la cintura, la capacidad pulmonar, la digestión y sirve de modelo para los niños: "First, educate the child!" (Joseph Pilates).

Preparación

Sentado o de pie, relajado y con la columna recta.

Respiración

Respirar por la nariz, tirando ligeramente de la barbilla hacia abajo y volviendo a elevarla. Dejar que el aire entre despacio y de manera uniforme.

Sentir cómo la respiración eleva suavemente al principio la pared abdominal, después el tórax lateral y por último el tórax superior.

Concentrarse al inspirar en rellenar completamente los pulmones de aire nuevo.

Disfrutar de este estado un par de segundos. Contener el aliento. Al mismo tiempo, ondear el ombligo varias veces hacia dentro y hacia fuera (meterlo y sacarlo sin respirar).

Después, respirar de forma regular y tranquila. Hundir el abdomen todo lo profundo que se pueda para espirar completamente el aire. Inspirar y relajarse con una sonrisa.

Duración: De 2 a 5 minutos.

 Respiración tranquila

 Pelvis neutral

 Hombros relajados

"Para beneficiarse a fondo de los ejercicios físicos es necesario aprender a respirar correctamente."
(*Joseph Pilates*, Health, *pág. 35.*)

Respiración Pilates para niños

Mejora el atractivo físico, la capacidad erótica y la vitalidad. El entrenamiento combinado de respiración y suelo pélvico potencia la posición natural de la pelvis, la rodilla y el pie, la espalda y la cabeza.

Preparación

Sentado, de pie o tumbado relajado.

Respiración

Inspirar: Al activar el suelo pélvico.
Espirar: Al profundizar la activación.

Descripción del ejercicio

Para activar el suelo pélvico, cerrar al mismo tiempo los orificios urinario, vaginal y anal. Profundizar la activación al espirar el aire y mantener la activación al inspirar.

Atención: Los músculos de los glúteos mayores permanecen relajados (en caso contrario la pelvis rodaría fuera de su posición neutral y las vértebras lumbares presionarían contra el suelo).

Para realizar una activación más fácil del suelo pélvico: ¡Inspirar!

Controlar la activación del suelo pélvico: colocar las yemas de los dedos justo por debajo de las espinas ilíacas antero-superiores sobre la pared abdominal inferior. Al aplicar la activación se tira de las fibras de los músculos de la parte inferior del abdomen. Se puede notar la compresión por debajo de los dedos.

Pronunciar en voz alta: P / T / K y sentir la resonancia en el suelo pélvico.

Duración: De 3 a 5 minutos.

 Pelvis neutral

 Nuca relajada

 Articulación maxilar relajada

Consejo: *Tu suelo pélvico cierra la llamada pequeña pelvis. El suelo pélvico está compuesto por tres capas de músculos superpuestos. ¡Los hombres suelen pensar que solamente necesitan un suelo pélvico las mujeres! ¡Qué gran equivocación!*

Respiración poderosa

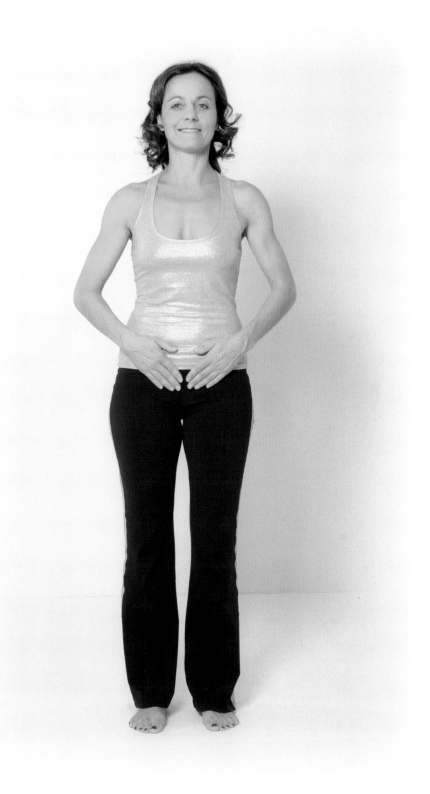

Mejora el atractivo físico, la postura, la alineación, las sensaciones eróticas, el equilibrio y la capacidad de coordinación, así como el funcionamiento de los órganos internos de la región pélvica (útero, vejiga).

Preparación

Sentado, de pie o tumbado relajado. Imagínate la activación del suelo pélvico como un trayecto en ascensor: planta baja, primer piso, segundo piso…

Respiración

Inspirar y activar completamente el suelo pélvico: el ascensor sube al segundo piso.

Espirar y relajar simultáneamente el suelo pélvico: el ascensor vuelve a descender a la planta baja.

Variantes

Variante I: Subir en el ascensor desde la planta baja al primer piso. Detenerse. Continuar subiendo hasta el segundo piso. Relajarse.

Variante II: Aplicar una activación completa y subir hasta el segundo piso. Inspirar y detenerse. Espirar y descender al primer piso. Inspirar y pararse. Espirar y descender a la planta baja. Relajarse.

Duración: De 2 a 3 minutos.

 Articulación maxilar relajada

 Pelvis neutral

 Respiración tranquila

Consejo: *Invéntate tus propias historias de ascensores. En casa, en la calle o en la oficina. Notarás que vale la pena.*

El ascensor del suelo pélvico

Descarga la espalda y las articulaciones de la cadera, mejora la flexibilidad, estimula la movilidad natural –grácil– de la pelvis.

Preparación

Sentado en posición erguida y relajada. Colocar las manos en forma de "V" sobre el abdomen, palpando con la punta de los dedos el hueso del pubis. A la altura de las caderas, localizar ahora las espinas ilíacas con la base del pulgar. Colocar estos tres puntos en un plano vertical. Ésta es la posición natural de tu pelvis.

Respiración

Espirar despacio, metiendo el abdomen con suavidad hacia dentro y ligeramente hacia arriba en dirección a la columna vertebral.

Inspirar suavemente por la nariz y activar el suelo pélvico alrededor de un tercio de su potencial. Simultáneamente, apretar el esternón y la barbilla hacia abajo y hacia atrás con suavidad. Respirar en el tórax lateral. Contener el aire unos segundos para optimizar la absorción de oxígeno.

Espirar y relajar la activación del suelo pélvico.

Repetir de 3 a 5 veces.

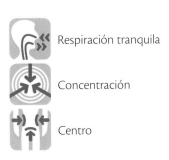

Respiración tranquila

Concentración

Centro

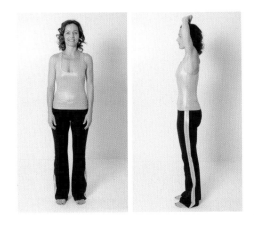

Consejo: *Lo más cómodo es encontrar la posición natural de la pelvis en posición de decúbito supino (tumbado de espaldas). Así los tres puntos quedan en un plano horizontal. No mantener la parte inferior de la espalda ni presionada hacia abajo ni alzada.*

Posición natural de la pelvis

Moldea la cintura y el tronco, mejora el rendimiento en el trabajo y en el deporte, protege las articulaciones y aumenta la estabilidad.

Preparación

Sentado en posición erguida y relajada, con la pelvis en posición natural.

Respiración

Inspirar suavemente por la nariz y activar el suelo pélvico alrededor de un tercio de su capacidad. Presionar a la vez el esternón y la barbilla con suavidad hacia abajo y hacia atrás. Respirar en el tórax lateral.

Espirar el aire y contraer el abdomen en dirección a la columna vertebral.

Seguir respirando con tranquilidad, manteniendo el abdomen en una posición ligeramente hundida hacia dentro. ¡No forzar!

Ahora, espirar despacio y con calma y relajar el *centro*.

Motivarse para realizar esta activación la mayor cantidad de veces posible. Se puede aumentar la duración de la activación como se desee. No olvidar la relajación consciente para, de este modo, aumentar el éxito del entrenamiento.

Duración: De 2 a 3 minutos.

 Alineación corporal

 Pelvis neutral

 Concentración

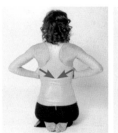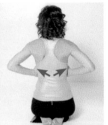

Consejo: *Eleva ligeramente la comisura de los labios hacia arriba. Tu cara dibuja una sonrisa. Extiende esa sonrisa a todo tu cuerpo: frente, articulación de la mandíbula, hombros…*

Respiración desde el centro

Reduce el estrés, tiene un efecto relajante, estimula los sentidos, la circulación sanguínea de la musculatura del pie y de la pantorrilla, moviliza las articulaciones del tobillo y de la cadera.

Preparación

Si no tienes ya una pelota de erizo, necesitas una: en todas las casas debería haber una. Fíjate en el tamaño y la elasticidad de la pelota de erizo: 9 cm de diámetro aproximadamente y no demasiado dura. Valen 5 euros como máximo.

Respiración

Respiración relajada y natural.

Descripción del ejercicio

Colocar la pelota de erizo debajo de un talón, con los dedos y la base de los dedos en el suelo. Presionar hacia abajo la pelota con el talón, sin desplazar el peso del cuerpo hacia delante.

Repetir 10 veces.

Variante

Arco del pie: Colocar la pelota debajo de las eminencias plantares (base de los dedos del pie) manteniendo todo el pie alzado. Hacer rodar la pelota hacia delante y hacia atrás presionándola contra el suelo.

Duración: Unos 60 segundos por cada pie.

Respiración tranquila

Hombros relajados

Pelvis neutral

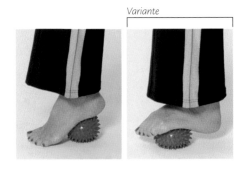

Variante

Consejo: *El impulso viene de la musculatura del arco del pie. Se puede sentir también la reacción muscular en los huesos isquiones. ¡Los pies no se agarran al suelo!*

Proporciona un paso ágil, revitaliza y estimula las zonas reflejas, alarga y fortalece la musculatura del arco del pie, las articulaciones metatarsofalángicas de los dedos y las articulaciones del metatarso.

Preparación

Posición relajada de pie, talón en el suelo. El pie adelantado y los dedos se amoldan a la pelota de erizo.

Respiración

Respiración relajada y natural.

Descripción del ejercicio

La base de los dedos y los dedos se amoldan con soltura a la curvatura de la pelota de erizo. ¡Hacer rodar con los dedos la pelota por debajo del arco del pie, sin alzar el talón del suelo! Contener dos respiraciones. Relajar la activación y alargar los dedos hacia el techo.

Repetir 10 veces por cada pie.

Variante

Para movilizar las articulaciones metatarsofa-lángicas: talón en el suelo. Dedos y eminencias plantares (base de los dedos del pie) sobre la pelota, presionando contra la misma, dejar rodar lentamente por el suelo. De este modo los dedos se abren en forma de abanico sobre la pelota en dirección al techo. El dedo pequeño resbala hacia abajo.

Repetir el proceso y apoyar el dedo pequeño conscientemente sobre la pelota, mientras el dedo gordo y, eventualmente, también el segundo dedo reposan en el suelo. Realizar despacio este fuerte estiramiento de las articulaciones metatarsofalángicas.

Duración: De 15 a 20 segundos por cada pie.

Variante

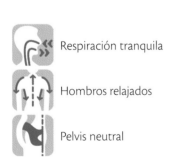
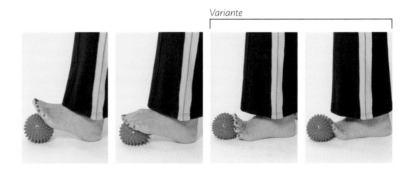

Respiración tranquila

Hombros relajados

Pelvis neutral

Consejo: *Ten cuidado de que el tobillo no se incline hacia dentro o hacia fuera. Si no tienes una pelota de erizo, utiliza una vieja pelota de tenis.*

Pies atractivos y sueltos

Aporta flexibilidad y movimiento a las piernas y los pies, mejora la movilidad, la motricidad y la coordinación de los pies, entrena las articulaciones metatarsofalángicas, el empeine y la musculatura de la pantorrilla.

Preparación
Posición relajada de pie a la anchura de la articulación de la cadera.

Respiración
Respiración relajada y natural.

Descripción del ejercicio
Levantar los brazos estirados a la altura de los hombros, con las palmas de las manos señalando hacia el suelo. Unir ligeramente los omóplatos. Al inspirar, elevar lentamente los talones y presionar hacia delante el empeine. Espirar bajando los talones y los brazos simultáneamente.

Mantener la postura 2 veces durante unos 30 segundos.

Variante
Con una mini-flexión: Alzar los talones. Al espirar el aire, flexionar las rodillas despacio, manteniendo el empeine hacia delante; el tronco permanece erguido. Inspirar mientras se estiran de nuevo las rodillas lentamente, y bajar los talones y los dedos al espirar.

Mantener la postura 2 veces durante unos 20 segundos.

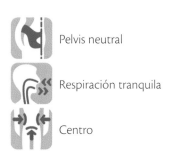

Pelvis neutral

Respiración tranquila

Centro

Variante

Consejo: *En caso de tener problemas de rodilla, no ponerse en cuclillas y presionar el empeine con suavidad sin llevarlo muy hacia delante.*

Estiramiento del empeine y de la planta de los pies

Revitaliza los pies cansados, potencia unas piernas flexibles, ágiles y ligeras, suelta las articulaciones del tobillo, la rodilla y la cadera, estimula la circulación sanguínea de los tendones y los ligamentos.

Preparación
Relajado, de pie sobre una pierna, cerca de una pared. En caso necesario, apoyar una mano en la pared para equilibrarse.

Respiración
Respiración relajada y natural.

Descripción del ejercicio
Nivel 1: Sacudida suave del pie elevado.

Nivel 2: Elevar un poco más la pierna y sacudir enérgicamente el pie relajado.

Duración: Hasta 1 minuto por cada pie.

 Pelvis neutral

Concentración

Nuca relajada

Consejo: *¡Dejar muy sueltas las dos articulaciones de la cadera!*

Paso perfecto y enérgico

Facilita apoyarse de forma relajada sobre las dos piernas, deshace tensiones musculares y reduce el estrés, relaja las articulaciones de la cadera y las pantorrillas mediante el entrenamiento de la musculatura del pie y de la pierna.

Preparación

Postura sentada longitudinal, una pelota pequeña (pelota de erizo) o toalla enrollada debajo de la corva de la rodilla.

Respiración

Respiración relajada y natural.

Descripción del ejercicio

Tirar de la planta y de los dedos del pie hacia la tibia (espinilla), presionar las eminencias de los dedos hacia delante (dedos en abanico), y finalmente estirar los dedos hacia delante. A continuación, deslizar el talón sobre el suelo alejándolo del cuerpo, mientras simultáneamente se tira del empeine hacia la tibia, llevando los dedos aún más hacia la planta del pie (creando la imagen de la cresta de una ola). Cuando el empeine esté más cerca de la tibia, atraer los dedos también y abrirlos en abanico. Comenzar desde el principio.

Invertir el orden: tirar del empeine hacia la tibia y de los dedos hacia la planta del pie. Los dedos dirigen ahora el movimiento hacia abajo, dentro de la "cresta de la ola". Estirar primero las puntas de los dedos y a continuación volver a tirar de ellas hacia la tibia. Después, dirigir el empeine hacia la tibia.

Repetir 8 veces cada secuencia.

Variante

Postura sentada longitudinal, colocar un pie en una cinta elástica, con los dedos y las eminencias plantares en la cinta. Estirar de la cinta con soltura, para sentir mejor la resistencia durante el ejercicio.

 Concentración

 Centro

 Alineación corporal

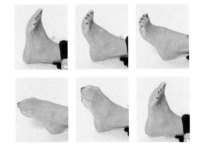

Consejo: *El talón se mantiene siempre en contacto con el suelo, la rodilla no se flexiona demasiado ni se mueve. Mantener la espalda erguida y dejar que el codo cuelgue relajado.*

Delfín

Tiene el efecto de las vacaciones, rejuvenece y activa las articulaciones del tobillo, la rodilla y la cadera.

Preparación

Posición relajada de pie, piernas a la anchura de la articulación de la cadera, rodillas flexionadas, manos sobre las rodillas, tronco curvado relajado, todos los dedos de los pies levantados.

Respiración

Espiración: Al flexionar las rodillas.
Inspiración: Al estirar las rodillas.

Descripción del ejercicio

Apoyar el peso sobre el canto exterior del pie derecho y sobre el canto interior del pie izquierdo, desplazar el peso sobre ambos talones y estirar las rodillas.

A continuación, apoyar el peso sobre el canto exterior del pie izquierdo y sobre el canto interior del pie derecho, y desplazar el peso sobre las eminencias plantares a la vez que se flexionan las rodillas.

Las rodillas trazan un círculo.

Realizar 8 círculos en cada dirección.

Repetir 8 veces en cada dirección.

Variante
El mismo ejercicio pero juntando las piernas.

Centro

Hombros relajados

Respiración tranquila

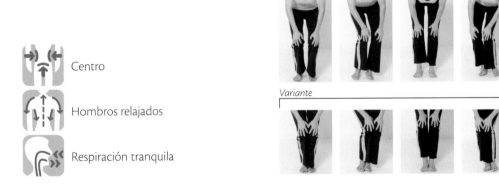

Variante

Consejo: *Dejar siempre todos los dedos levantados. No bloquear nunca las articulaciones de la rodilla, moviendo simultáneamente la espalda relajada.*

Rodillas flexibles

Aporta bienestar a la espalda, calma y vitalidad, vigoriza la musculatura de la espalda y los hombros, revitaliza la columna vertebral y activa los músculos de las piernas y los pies.

Preparación

Sentado sobre los talones con las piernas juntas, y con la columna relajada erguida.

Respiración

Estirar los dos brazos hacia delante, colocar las palmas de las manos unidas hacia dentro, presionando con fuerza una contra la otra. Los pulgares pueden entrecruzarse uno sobre el otro. A continuación, elevar los brazos con un tono muscular constante por encima de la cabeza. Mantener los hombros lejos de las orejas. Continuar presionando entre sí las palmas de las manos y el interior de los dedos,

sin bloquear los codos. No deslizar la barbilla hacia delante.

Inspirar durante unos 10 segundos al mismo tiempo que se mete la barbilla suavemente hacia dentro.

Contener el aliento durante unos 10 segundos, hundiendo el ombligo lo más profundo posible para realizar una espiración completa. Relajarse y sonreír al inspirar.

Duración: De 2 a 5 minutos cada día.
Después de realizar el ejercicio, relájate también de 2 a 5 minutos.

Respiración tranquila

Centro

Hombros relajados

Consejo: *Concéntrate cada día durante 2 a 3 minutos exclusivamente en este ejercicio. ¡Cambiará tu vida positivamente!*

Supergirl o Supermán

Ideal para despertarse y para incrementar energía, potencia además un sueño reparador, estimula la circulación sanguínea y la energetización de los pies y las piernas, y relaja las articulaciones de la cadera y la musculatura de la pelvis.

Preparación

Posición sentada con las piernas unidas flexionando, dejando los pies ladeados hacia fuera, las manos como apoyo detrás del tronco y flexionando las plantas de los pies de forma relajada.

Respiración

Respiración relajada y natural.

Descripción del ejercicio

Aplaudir con la cara interna de las eminencias plantares de un modo rápido y firme. El movimiento parte de las articulaciones de la cadera y toda la pierna se mueve como una sola pieza.

Duración: 1 minuto.

 Concentración

 Centro

 Articulación maxilar relajada

Consejo: *Mantener la intensidad y la velocidad del aplauso durante el ejercicio. En caso necesario, dividir el ejercicio en dos o más veces.*

El aplauso con los pies

Vigoriza la espalda y el centro del cuerpo, reactiva la digestión y el metabolismo, y revitaliza e incrementa la fuerza motriz.

Preparación
Posición relajada de pie.

Respiración
Respiración relajada y natural.

Descripción del ejercicio
Ahuecar las palmas de las manos formando una concha. Colocar la concha sobre la parte inferior del abdomen a la distancia de dos dedos de ancho por debajo del ombligo. Golpear con fuerza con las manos en la parte inferior del abdomen.

Duración: 1 minuto.

 Alineación corporal

 Centro

 Nuca relajada

Consejo: *Practica este ejercicio cada día después de levantarte o después de la ducha. Relaja la parte inferior de la espalda y vigoriza de un modo fantástico.*

Masaje en el centro del cuerpo

Ideal para relajarse y liberar tensiones durante el día —delante del espejo del cuarto de baño, en el ascensor...—, moviliza las articulaciones de la cadera y las vértebras lumbares.

Preparación

Posición relajada de pie con las manos en las caderas y las piernas algo separadas.

Respiración

Respiración relajada y natural.

Descripción del ejercicio

Flexionar y estirar la rodilla derecha y la rodilla izquierda alternativamente, desplazando así la pelvis hacia izquierda y derecha. Aplicar un movimiento lento y consciente.

Repetir de 8 a 10 veces por cada lado.

 Respiración tranquila

Centro

Hombros relajados

Consejo: *Imagínate que la pelvis es un pequeño péndulo que se balancea de un lado a otro.*

Péndulo de pelvis con rodillas flexionadas

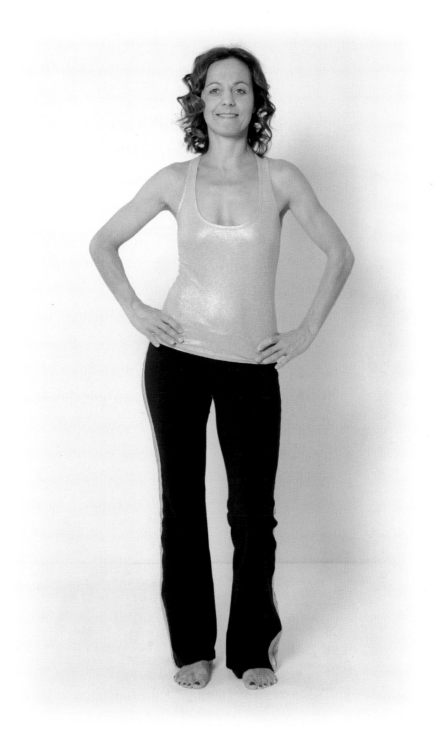

Mejora el equilibrio, la conciencia corporal y la movilidad, relaja las articulaciones de la cadera, fortalece, moviliza y estira la musculatura, especialmente de la espalda y la pelvis.

Preparación

Posición relajada de pie con las piernas separadas, rodillas flexionadas y manos sobre las caderas.

Respiración

Inspirar: Al desplazar la pelvis hacia delante (el tronco se reclina hacia atrás).

Espirar: Al desplazar la pelvis hacia atrás (el tronco se reclina hacia delante).

Descripción del ejercicio

Desplazar al principio la pelvis hacia la derecha y hacia la izquierda, después hacia delante y hacia atrás. Unir ambos desplazamientos formando un movimiento en círculo.

Repetir 8 veces en cada dirección.

  Respiración tranquila

 Centro

Articulación maxilar relajada

Consejo: *El tronco permanece estable y se mueve junto con la pelvis. No se trata de realizar ningún movimiento de "salsa". Imagínate que las dos cápsulas articulares se mueven alrededor de las cabezas femorales.*

Círculos con la pelvis: pelvis vigorosa

Revitaliza, relaja y moviliza las vértebras lumbares, mejora la movilidad de las articulaciones coxofemorales (de la cadera) y estira la cara posterior del muslo.

Preparación

Posición relajada de pie con las piernas abiertas a la anchura de las caderas y los brazos sueltos. Activación del centro.

Respiración

Inspirar: Al recolocar la pelvis en el centro.
Espirar: Al bajar el torso y al desplazar la pelvis hacia los lados.

Descripción del ejercicio

Bajar la cabeza hacia delante y, simultáneamente, hundir hacia atrás la pelvis y flexionar las rodillas. Después, curvar la espalda despacio, vértebra por vértebra, hacia delante todo lo posible mientras resulte cómodo. Dejar colgando hacia abajo el peso de los brazos, la cabeza y la cintura escapular. De forma alterna, ir flexionando y estirando una rodilla mientras se desliza la pelvis despacio hacia derecha e izquierda. Los talones permanecen siempre en el suelo.

Repetir 8 veces en cada dirección.

 Respiración tranquila

 Concentración

 Centro

Consejo: *Concentración en el movimiento de las cápsulas articulares alrededor de los cóndilos. De este modo se crea una mejor movilidad en la pelvis.*

Rodar hacia delante con péndulo de pelvis

Un maravilloso estiramiento para todos los músculos desde las caderas al cuello, para reforzar la respiración, estirar la musculatura intercostal; la diagonal abdominal; la pélvica exterior y la musculatura de las piernas al fortalecer simultáneamente ambos lados.

Preparación

Posición sentada erguida sobre una silla o con las piernas en cruz. Mantener por encima de la cabeza los brazos estirados y abiertos a la anchura de los hombros, los hombros bajos distribuyendo el peso de manera uniforme.

Respiración

Inspirar: Al alinear la posición perpendicularmente al suelo.

Espirar: Al curvarse hacia los lados.

Descripción del ejercicio

Comenzando por las vértebras lumbares, curvar hacia el costado izquierdo el tronco alargándolo. Los brazos se mantienen a la misma distancia a los lados de las orejas, las vértebras lumbares no se curvan, la cabeza no se hunde, y el tronco y la pelvis no giran en sentido contrario. Volver a poner recto el tronco. Continuar con el otro costado.

Repetir 8 veces por cada lado.

Variante

Contener la respiración de 6 a 8 veces manteniendo la posición curvada hacia un costado, exhalando con placer cada vez más profundamente; practicar una vez por cada lado.

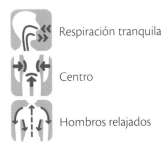

Respiración tranquila

Centro

Hombros relajados

Consejo: *Imagínate que te estiras sobre una pared soleada. Los omóplatos y el hueso pélvico mantienen el mismo contacto con la pared, da lo mismo que estés sentado en posición erguida o inclinado hacia un lateral.*

Estiramientos de los costados

Un ejercicio fantástico para personas que permanecen sentadas mucho tiempo, libera de tensiones musculares, estimula la movilidad de la pelvis y la capacidad de coordinación, moviliza las vértebras lumbares y las articulaciones de la cadera.

Preparación

Posición sentada erguida y relajada sobre una silla o con las piernas en cruz, eventualmente sentado sobre un cojín con las manos sobre las rodillas.

Respiración

Inspirar: Al alinear la pelvis.

Espirar: Al curvar la pelvis hacia delante y hacia atrás.

Descripción del ejercicio

Curvar hacia atrás la pelvis sobre los huesos isquiones. Las vértebras lumbares se abren: la espalda se curva. El peso del tronco recae sobre los huesos isquiones. Volver a alinear la pelvis.

Curvar hacia delante la pelvis. Las vértebras lumbares se estiran hacia delante y la musculatura de la espalda baja se activa con fuerza: la espalda se estira. El peso recae sobre los huesos isquiones.

Estirar o curvar 8 veces por cada lado.

 Centro

 Respiración tranquila

 Articulación maxilar relajada

Consejo: *El movimiento ha de aplicarse solamente en la pelvis y la parte inferior de la espalda. Mantener el tórax sobre la pelvis lo más inmóvil posible.*

Balanceo de pelvis

Mejora la elasticidad en la torsión, muy recomendable para caminantes, practicantes de marcha nórdica, nadadores de croll, esquiadores, jugadores de golf y tenis, y personas a las que les encanta bailar.

Preparación

Posición sentada erguida y relajada sobre una silla o con las piernas en cruz, eventualmente sentado sobre un cojín, sintiendo los dos huesos isquiones.

Respiración

Inspirar: Al alinear la pelvis, y después de cada rotación.

Espirar: Al curvar la pelvis hacia delante y hacia atrás, y al hacer y deshacer la rotación.

Descripción del ejercicio

Rotar el tronco hacia la derecha: apoyar la mano derecha detrás de la pelvis con las yemas de los dedos sobre la esterilla, y la mano izquierda sobre la rodilla derecha. Mantener la cabeza en un eje vertical con la barbilla y el esternón. Rodar la pelvis sobre los huesos isquiones hacia atrás y estirar las vértebras lumbares. Mantener el tórax lo más inmóvil posible en la posición de torsión sobre la pelvis. Volver a alinear la pelvis.

Hundir la pelvis hacia delante haciéndola rodar sobre los huesos isquiones y profundizar la curva de las vértebras lumbares. Mantener la rotación del tronco y volver a curvar la pelvis hacia atrás.

Repetir ocho veces por el lado derecho y después lo mismo por el otro lado.

Realizar 8 veces por cada lado.

 Alineación corporal

 Centro

 Respiración tranquila

Consejo: *Los brazos pueden servir de apoyo al movimiento. Cuanto más pequeño y lento sea el movimiento aplicado, más preciso y eficiente será el resultado.*

Balanceo de pelvis rotada

Las beneficiosas oscilaciones de tono muscular descongestionan las vértebras torácicas y estimulan la circulación sanguínea en los músculos, devolviéndoles el tamaño y la elasticidad perdidos.

Preparación

Posición sentada erguida y relajada sobre una silla o con las piernas en cruz, eventualmente sentado sobre un cojín, sintiendo bien los dos huesos isquiones. Las manos apoyadas sobre las rodillas.

Respiración

Inspirar: Al volver a la alineación corporal.
Espirar: Al curvar o estirar la espalda.

Descripción del ejercicio

Las palmas de las manos presionan por encima de las rótulas contra el muslo. Rodar la pelvis sobre los huesos isquiones hacia atrás. Curvar la columna vertebral formando una "C", espirando el aire a la vez con un suave "schhhhhh". Volver a la posición erguida.

Tocar con las manos la tibia por debajo de la articulación de la rodilla, tirar de los codos hacia fuera y hacia atrás, uniendo los omóplatos, y llevar el esternón ligeramente hacia delante y hacia arriba. Exhalar el aire simultáneamente con un suave "rhrhrrhrrhr". Deshacer el estiramiento.

Realizar 8 flexiones y 8 extensiones de espalda.

 Centro

 Concentración

 Alineación corporal

Consejo: *Movimiento pequeño y preciso. La flexión de la columna estimula la movilidad de las vértebras lumbares, y la extensión de la columna estimula la movilidad de las vértebras torácicas.*

Arco y *curl* de espalda con oscilación

Los estiramientos regulares de los músculos pectorales, de la espalda y de la pelvis mejoran la movilidad, la postura correcta y la respiración, protegen la espalda y estimulan la movilidad de los nervios y de las vértebras lumbares y torácicas.

Preparación

Posición sentada erguida y relajada sobre una silla o con las piernas en cruz, eventualmente sentado sobre un cojín, sintiendo bien los dos huesos isquiones.

Respiración

Espirar: Al curvar o estirar la columna vertebral, y al hacer y deshacer la rotación.

Inspirar: Al erguir la columna vertebral, y después de cada rotación.

Descripción del ejercicio

Rotación del tronco hacia la izquierda: la mano izquierda detrás de la pelvis con las yemas de los dedos apoyadas sobre la esterilla, y la mano derecha sobre la rodilla izquierda. Rodar la pelvis sobre los huesos isquiones hacia atrás, arqueando la espalda en forma de "C", mientras se presiona con el pulpejo del pulgar de la mano derecha apoyado suavemente contra el muslo. Flexionar los dos codos. ¡Mantener la torsión del tronco! Alinear la espalda.

La mano derecha tira de la parte exterior de la rodilla, los codos se estiran ligeramente uniendo ambos omóplatos y elevando el esternón hacia arriba y hacia delante. Volver a la posición inicial.

Realizar 8 veces por cada lado.

 Centro

 Concentración

 Alineación corporal

Consejo: *Durante el movimiento el tronco se mantiene rotado sobre la cintura. Distribuir el peso uniformemente sobre los dos huesos isquiones (huesos de asiento). Mantener la cabeza con la barbilla por encima del esternón, sin rotarla. Las caras laterales exteriores de las rodillas presionan de modo constante hacia fuera.*

Arco y *curl* rotados

Estimula la digestión, la circulación sanguínea y la capacidad intelectual, relaja la nuca, genera un efecto beneficioso sobre los riñones, el intestino grueso, la vejiga y los órganos sexuales, moviliza las lumbares y las articulaciones de la cadera, refuerza los flexores de la cadera.

Preparación

Posición sentada erguida con los pies en el suelo, las piernas pueden colocarse juntas o separadas a la anchura de las caderas. Mantener las manos sobre las rodillas y los codos relajados hacia fuera.

En caso necesario se puede colocar un cojín extendido debajo de la pelvis.

Respiración

Inspirar: Al erguir la columna vertebral o mantener la posición.

Espirar: Al curvar la pelvis y la columna vertebral, o al levantar el tronco.

Descripción del ejercicio

Hacer rodar la pelvis sobre los huesos isquiones hacia atrás. El sacro debe tocar todo lo posible el cojín, presionando en plano. El tronco se redondea ligeramente y los codos se estiran relajados. Mantener la posición.

Alzar el tronco curvado con ayuda de los brazos. Erguir el tronco.

No compensar el movimiento de las vértebras lumbares con las vértebras torácicas. El foco de atención está en el movimiento de la pelvis CON las vértebras lumbares, para movilizar así la zona. Se puede variar la respiración.

Realizar de 2 a 4 veces.

 Concentración

 Centro

 Alineación corporal

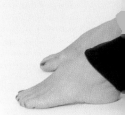

Consejo: *Una presión uniforme de las palmas de las manos sobre los muslos facilita que los omóplatos se mantengan relajados.*

Rodar sobre la espalda.
Iniciación

Una cintura estilizada mediante el entrenamiento de la musculatura abdominal transversa y el centro. Activa la circulación sanguínea, la digestión y el metabolismo, estimula la movilidad de la columna vertebral y entrena los músculos flexores de la cadera.

Preparación

Posición sentada erguida con las piernas separadas a la anchura de las caderas y las plantas de los pies en el suelo. Desplazar los pies hacia delante mientras los dedos sigan tocando el suelo de forma relajada. Colocar las manos en las espinillas por debajo de las rótulas. El dedo pulgar se mantiene junto al dedo índice.

Respiración

Inspirar: Al erguir la columna vertebral o mantener la posición.
Espirar: Al curvar la pelvis y la columna vertebral, o al levantar el tronco.

Descripción del ejercicio

Hacer rodar la pelvis hacia atrás, primero el sacro, después todas las vértebras lumbares hasta la costilla inferior (vértebras torácicas). Estirar los codos. Dejar resbalar las manos sobre los muslos y curvar más el tronco.

Mantener la posición y la activación, y a continuación, con ayuda de los brazos, alzar el tronco curvado –con una posición estable–. Cuando la nariz se sitúe por encima del esternón, erguir la columna vertebral. Las manos se colocan de nuevo en las espinillas.

Repetir de 2 a 4 veces.

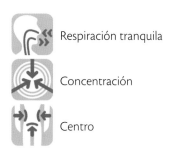

Respiración tranquila

Concentración

Centro

Consejo: *El nivel del ejercicio será el adecuado mientras la respiración se mantenga relajada. Si notas que contienes el aire, es que el nivel es demasiado duro para ti.*

Rodar sobre la espalda.
Intermedio

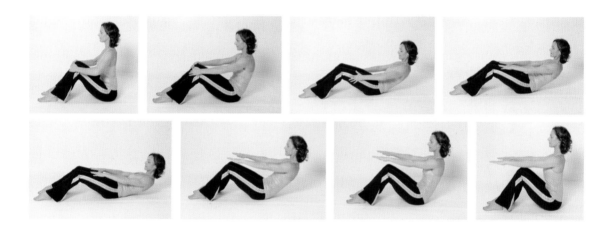

Revitaliza y calienta el cuerpo, mejora la capacidad respiratoria por medio del masaje del diafragma, entrena el centro y los grupos de músculos más profundos de la columna vertebral y moviliza la columna y las articulaciones de la cadera.

Preparación

Posición sentada erguida en el suelo, con las piernas separadas a la anchura de las caderas y las plantas de los pies en el suelo. Deslizar los pies hacia delante, mientras los dedos permanezcan tocando el suelo de forma relajada.

Respiración

Inspirar: Al erguir la columna vertebral o elevar los brazos sobre la cabeza en posición de decúbito supino (tumbado de espaldas).

Espirar: Al curvar la columna vertebral al bajar hacia el suelo o elevar el tronco.

Descripción del ejercicio

Estirar los brazos en paralelo hacia delante colocándolos a la altura y anchura de los hombros. Hacer rodar la pelvis hacia atrás, primero el sacro y a continuación flexionar una a una las vértebras lumbares, torácicas y cervicales, y reposar la cabeza colocando la pelvis en posición neutral. Simultáneamente, bajar los brazos sobre la cabeza hacia atrás en dirección al suelo. Colocar los brazos sobre el suelo a los lados a la altura de los hombros. Alzar la cabeza y las vértebras cervicales, después flexionar las vértebras torácicas y lumbares, mientras se dirigen los brazos hacia abajo junto a la pelvis. Rodar ahora la pelvis, los dedos suben por los lados de los muslos ayudando de este modo a flexionar el tronco.

Volver a alinearse en la posición de partida.

Repetir de 2 a 4 veces.

 Alineación corporal

 Centro

 Hombros relajados

Consejo: *La espiración completa durante el movimiento favorece la fuerza muscular y la movilización de cada vértebra de forma individual.*

Rodar sobre la espalda hasta decúbito supino

Primer paso para conseguir una buena postura corporal; ejercita el centro del cuerpo, estimula el bienestar de la espalda, fortalece la musculatura abdominal superior y moldea una cintura estilizada.

Preparación

Tumbado sobre la espalda con las rodillas flexionadas, con las dos manos detrás de la cabeza y manteniendo los codos en el foco de visión.

Respiración

Inspirar: Al deshacer la flexión de la columna al bajar hacia el suelo.

Espirar: Al alzar el tronco flexionando la columna vertebral.

Descripción del ejercicio

Alzar la cabeza, curvando la columna cervical y la columna torácica contigua, hasta sentir los dos extremos de los omóplatos. Bajar el tronco y deshacer la flexión de la columna pero sin relajarse.

Repetir de 6 a 8 veces.

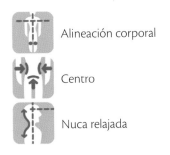

Alineación corporal

Centro

Nuca relajada

Consejo: *Con la fuerza adecuada se pueden elevar las piernas flexionadas, o bajarlas estiradas en un ángulo de 45º.*

Curl abdominal

Variante

Aumenta el impulso al andar, hacer marcha y correr al mejorar la capacidad de torsión de la cintura, hace desaparecer los michelines de las caderas mediante la activación de los músculos abdominales diagonales.

Preparación

Tumbado sobre la espalda con las rodillas flexionadas, con las dos manos detrás de la cabeza y manteniendo los codos en el foco de visión.

Respiración

Inspirar: Al deshacer la flexión de la columna al bajar hacia el suelo.

Espirar: Al alzar el tronco flexionando la columna vertebral.

Descripción del ejercicio

Alzar la cabeza, curvando la columna cervical y la columna torácica contigua, hasta sentir los dos extremos de los omóplatos. Realizar simultáneamente una torsión del hombro derecho hacia la rodilla izquierda, mientras el omóplato derecho se levanta. ¡El codo izquierdo tira en oblicuo hacia la izquierda, hacia atrás y hacia arriba! Deshacer la torsión y la flexión de la columna, pero sin relajarse.

Repetir de 6 a 8 veces por cada lado.

 Alineación corporal

 Centro

 Hombros relajados

Consejo: *Imagínate que un pequeño ayudante tira suavemente hacia fuera de los dos extremos de tus codos y te ayuda en la torsión. ¡De esta forma tan sencilla, la distancia entre los codos se mantiene igual!*

Curl abdominal oblicuo

Variante

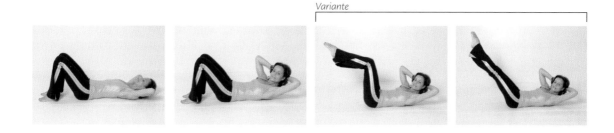

Mejora la posición sentado y la altura a través de la activación de los músculos del *centro* y el estiramiento de la musculatura y los nervios, especialmente de la columna lumbar.

Preparación

Posición sentada longitudinal, con brazos estirados hacia delante paralelos al suelo a la altura de los hombros, las palmas de las manos hacia abajo, los dedos estirados, piernas paralelas separadas a la anchura de la cadera y pies flexionados.

Respiración

Inspirar: Al erguir la columna, al mantener la posición.

Espirar: Al flexionar la columna hacia delante, al volver hacia atrás.

Descripción del ejercicio

Inclinar ligeramente la cabeza hacia delante, la columna cervical, torácica y lumbar siguen el movimiento, y la espalda forma un arco. La pelvis se mantiene estable. Estirar los brazos hacia delante.

Repetir de 4 a 6 veces.

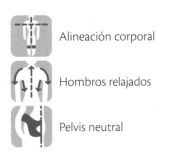

Alineación corporal

Hombros relajados

Pelvis neutral

Consejo: *Mantener los omóplatos alejados de las orejas. Los brazos se colocan paralelos al suelo, sin bajarlos ni juntarlos. No hundir la pelvis hacia atrás.*

Estiramiento de columna hacia delante

Libera de tensiones la nuca y relaja los hombros mediante la activación del músculo erector del tronco y los músculos estabilizadores de los hombros. Moldea un vientre plano a través del esfuerzo intensivo de la musculatura del *centro*.

Preparación

Posición de decúbito prono (tumbado boca abajo), con las manos superpuestas y la frente reposando sobre ellas. Los codos no se levantan de forma extra. Las piernas se mantienen paralelas entre sí con el canto interior de los pies estirado y en contacto.

Respiración

Inspirar: Al mantener la posición de activación.
Espirar: Durante el movimiento.

Descripción del ejercicio

Tirar de los omóplatos suavemente hacia la cintura, con la cabeza apoyada sobre las manos en la frente, elevar al mismo tiempo del suelo los brazos y la cintura escapular. Mantener la posición y la activación durante una inspiración. Volver a la posición de partida y reposar el tronco con los brazos sobre el suelo.

Repetir de 4 a 6 veces.

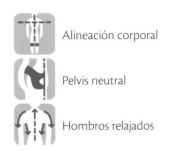

Alineación corporal

Pelvis neutral

Hombros relajados

Consejo: *Al elevar el tronco, la pelvis no debe desplazarse de su posición neutral. Las piernas sirven como contrapeso al tronco y se mantienen estiradas. Presionar el empeine contra el suelo.*

Tensor del diamante

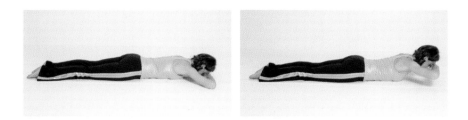

Relaja el sistema nervioso central, mejora la postura, la resonancia de la voz y la respiración, estimula la concentración y la visión binocular mediante la activación del músculo erector del tronco y la movilización de la columna torácica superior.

Preparación

Posición de decúbito prono (tumbado boca abajo), con las manos junto al tronco a la altura del pecho. Los dedos de las manos señalan hacia delante, los antebrazos se colocan junto al tronco con los codos en dirección al techo. Las piernas unidas en posición paralela y estiradas, alzando así las rótulas del suelo. Presionar suavemente el empeine del pie contra el suelo.

Respiración

Inspirar: Al hacer rodar la pelota de tenis imaginaria, al mantener la posición.

Espirar: Al estirar la columna hacia arriba, al regresar a la posición de partida y al hundir la barbilla hacia el pecho.

Descripción del ejercicio

Hacer rodar con la nariz una pelota de tenis imaginaria, levantar la cabeza, la columna cervical y torácica prolonga el movimiento hacia arriba. Simultáneamente los codos tiran activamente hacia la cintura y hacia abajo, y los brazos se mueven hacia el suelo uniendo los omóplatos. El esternón se alza y se extiende hacia arriba y hacia delante. Se estira la columna vertebral. Mantener la posición durante una inspiración. Volver al suelo. Para finalizar, llevar la barbilla hacia el esternón (estiramiento de nuca).

Repetir de 2 a 4 veces.

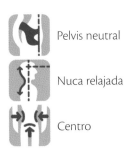

Pelvis neutral

Nuca relajada

Centro

Consejo: *Elevar el tronco solamente hasta las primeras costillas flotantes y no más arriba: se trata de mover la columna torácica. ¡Los brazos no deben presionar el tronco por arriba!*

La pequeña cobra

Efecto antienvejecimiento por medio de la acción equilibradora de las glándulas tiroides y paratiroides, potencia un buen color y la salud de la piel al mejorar la circulación sanguínea de todos los órganos, alivia dolores menstruales y problemas digestivos.

Preparación

Posición de decúbito prono, con las piernas unidas de forma paralela y los cantos interiores de los pies pegados como dos imanes. Poner los pulgares sobre los orificios nasales, y colocar los codos a la anchura de los hombros dirigidos hacia fuera.

Respiración

Inspirar: Hacer rodar hacia delante con la nariz una pelota de tenis invisible. Alzar la cabeza y mantener la posición y la alineación.

Espirar: En el estiramiento y al volver a la posición.

Descripción del ejercicio

Hacer rodar la pelota de tenis invisible hacia delante, alargar la columna cervical y elevar la cabeza. La columna cervical y torácica prolonga el movimiento hacia arriba, tirando de este modo de los codos, que se colocan ahora por debajo de los hombros.

Los antebrazos y las manos soportan el estiramiento hacia arriba, mantener la posición y la activación. Deshacer la flexión de la espalda volviendo a la posición de partida, mientras los antebrazos se deslizan relajados hacia fuera.

Repetir de 2 a 4 veces.

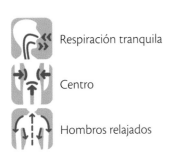

Respiración tranquila

Centro

Hombros relajados

Consejo: *¡No hundir la columna formando una lordosis! ¡Los brazos soportan el peso del tronco hasta tu límite personal en el estiramiento! ¡Varios pasos pequeños te llevarán más rápido al objetivo que un solo paso grande!*

La cobra

Moldea unas nalgas atractivas con el entrenamiento de las caras interiores de los muslos y la musculatura de los glúteos, estimula la movilidad de la cadera y la estabilidad de la pelvis mediante el fortalecimiento de la musculatura profunda de la zona.

Preparación

Posición de decúbito prono, brazos estirados en forma de "V" y manos relajadas con los dedos extendidos presionando contra el suelo. Pies sueltos y estirados.

Respiración

Inspirar: A lo largo de cinco patadas.
Espirar: A lo largo cinco patadas.
Cuanto más lento sea el ritmo al contar, más difícil será el ejercicio. Adapta al principio tu capacidad al tiempo adecuado.

Descripción del ejercicio

Igual que en "la pequeña cobra", hacer rodar una pelota de tenis invisible hacia delante con la punta de la nariz y elevar la cabeza. Levantar del suelo las piernas estiradas, rítmicamente, elevando y bajando la pierna contraria. Presionar las manos contra el suelo con los brazos estirados, manteniendo estable el tronco.

Repetir 2 de a 4 veces, 5 inspiraciones/espiraciones.

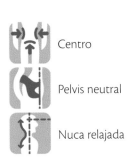

Centro

Pelvis neutral

Nuca relajada

Consejo: *Si eres principiante, también puedes inspirar o espirar durante tres patadas. La pelvis no se balancea, las rodillas permanecen estiradas y los omóplatos contraídos ligeramente en dirección a la cintura. Dirigir la mirada oblicua hacia delante.*

La pequeña estrella

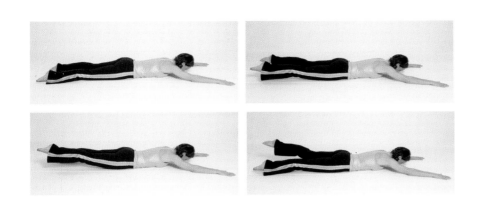

Ayuda a desarrollar un tono muscular equilibrado y consigue una espalda alineada a través del fortalecimiento de la musculatura de la espalda y la movilización de las articulaciones de hombros y caderas, potencia la estabilidad natural de la pelvis.

Preparación

Posición de decúbito prono, brazos y piernas estirados en forma de "V" y manos relajadas con los dedos extendidos presionando contra el suelo.

Respiración

Inspirar: Durante cinco patadas.
Espirar: Durante cinco patadas.
Cuanto más lento sea el ritmo al contar, más difícil será el ejercicio.

Descripción del ejercicio

Igual que en "la pequeña cobra", elevar el tronco hacia arriba, tirando de los brazos hacia el tronco. Levantar primero del suelo las piernas estiradas y después los brazos estirados. Elevar y bajar la pierna y el brazo contrario en diagonal de forma alterna contando el ritmo. ¡No disminuir el estiramiento en la columna torácica! El tronco no baja. Dirigir la concentración hacia las costillas flotantes que mantienen contacto con el suelo. Al inspirar no se debe presionar nunca el ombligo contra la esterilla.

Repetir 5 veces, 5 inspiraciones/espiraciones.

Centro

Pelvis neutral

Hombros relajados

Consejo: *Cuanto más rápido sea el ritmo, menor será la altura del movimiento de piernas y brazos.*

La estrella de la suerte

Un abdomen plano, un atractivo tronco alineado y protección fantástica contra tensiones musculares en la espalda, mediante el fortalecimiento de la musculatura del tronco y la activación del tono muscular natural.

Preparación

Posición de rodillas boca abajo. No dejar colgando la cabeza ni la pelvis, mantener la columna lumbar neutral. Brazos estirados, apoyados sobre el suelo un poco por delante de los hombros, los dedos señalan hacia delante.

Respiración

Inspiración y espiración naturales.

Descripción del ejercicio

Apoyar los pies sobre los dedos flexionados. Alzar las rodillas unos 10 cm del suelo, sin desplazar la espalda de su alineación natural.

Mantener durante cuatro respiraciones.

Variante

Posición de rodillas boca abajo. Estirar la primera pierna, flexionar los dedos debajo del pie. Distribuir el peso sobre los dos brazos y la pierna estirada, para poder estirar la segunda pierna y apoyarla sobre las eminencias plantares del pie. Todo el cuerpo está estirado como si fuera un tablón de madera. Distribuir el peso de manera uniforme.

Estirar el cuerpo con los talones hacia atrás, y a continuación deslizar el cuerpo hacia delante con los talones.

Inspirar: Al deslizar hacia atrás el cuerpo.
Espirar: Al estirar hacia delante el cuerpo.

Estirar hacia delante y deslizar hacia atrás de 4 a 8 veces.

Hombros relajados

Centro

Concentración

Variante

Consejo: *Imagínate que la parte frontal de tu cuerpo y el suelo son dos imanes positivos que se repelen. ¡Naturalmente los dos siguen manteniendo su forma!*

Flexiones de pecho
para sibaritas

Rejuvenece los antebrazos, el tórax y las nalgas al fortalecer la musculatura del antebrazo, los hombros, el pecho, la espalda, los glúteos y las piernas, devuelve la altura natural a través del estiramiento integral del eje del cuerpo.

Preparación

Posición de rodillas boca abajo.

Respiración

Inspirar: Al flexionar los codos.
Espirar: Al estirar los codos.

Descripción del ejercicio

Estirar una pierna hacia atrás, flexionando los dedos debajo del pie. Después, estirar la otra pierna y flexionar los dedos debajo del pie. Todo el cuerpo está estirado como si fuera un tablón de madera. Flexionar los codos hacia los talones y volver a estirarlos.

Variante

Para avanzados: Posición de decúbito prono. Manos a la altura del pecho, codos hacia el techo. Flexionar los dedos bajo el pie, estirar las piernas, las rodillas se elevan, tirar hacia atrás de los talones, estirar cabeza y tronco (pequeña cobra) junto con los músculos de los glúteos y después elevarse. Flexionar y estirar los codos.

Repetir de 2 a 8 veces.

Centro

Pelvis neutral

Articulación maxilar relajada

Consejo: *¡Lo más importante es mantener la tensión del cuerpo al flexionar los codos! ¡Para ello no es necesario llegar hasta el suelo! Ten cuidado de que tu cabeza no quede colgando hacia abajo entre los hombros.*

Fondos con equilibrio

Variante

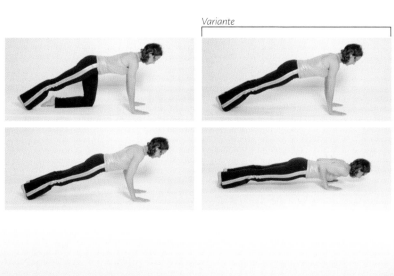

Movilidad atractiva de las caderas mediante la activación de las articulaciones de la cadera, estiramiento de la musculatura de la cintura, las nalgas y la parte posterior del muslo; posibilita un movimiento y una postura elegantes al mejorar la conciencia corporal.

Preparación

Posición de flexión de pecho con las piernas unidas.

Respiración

Inspirar: Durante la preparación.
Espirar: En la tercera patada.

Descripción del ejercicio

Tirar de los talones hacia atrás, elevar una pierna y estirar el pie. Dar tres patadas con la pierna alzada hacia arriba, flexionar el pie y bajarlo. A continuación, elevar la otra pierna y estirar el pie. Dar tres patadas con la pierna alzada hacia arriba, flexionar el pie y bajarlo.

2 ó 3 patadas con cada pierna.

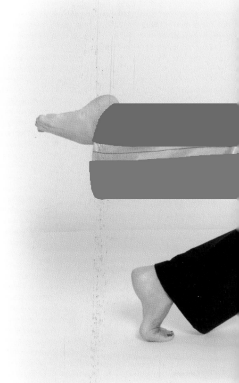

 Alineación corporal

Centro

Respiración tranquila

Consejo: *¡Pensar en dos imanes positivos igual que en el ejercicio de "la cobra"! ¡No dejar nada por dentro "colgando"!*

Tracción de pierna en posición prona

Fortalece la espalda, moldea los brazos, la espalda, los glúteos y las piernas mediante el estiramiento y la activación de los músculos, mejora la movilidad del pie a través del estiramiento intensivo de la pantorrilla.

Preparación
Posición de rodillas boca abajo, con los dedos de los pies flexionados.

Respiración
Inspirar: Al estirar la rodilla, al mantener la posición y la activación.

Espirar: Al bajar los talones hacia el suelo, al flexionar las rodillas.

Descripción del ejercicio
Estirar las rodillas con la pelvis alzada hacia arriba, los talones hundidos hacia el suelo y, si es posible, tocando el mismo. Elevar con los brazos la pelvis un poco más hacia arriba en dirección al techo. Tirar de las rótulas hacia arriba y activar la cara anterior de los muslos. Presionar los talones contra el suelo. Flexionar las rodillas y apoyarlas en el suelo.

Repetir de 2 a 4 veces.

 Hombros relajados

 Nuca relajada

 Centro

Consejo: *No bloquear la articulación de la rodilla, empujar el peso del tronco siempre hacia arriba y hacia atrás, no dejar que se hunda hacia delante y hacia abajo ya que esto cargaría innecesariamente las muñecas.*

El elefante feliz

Rejuvenece el rostro mediante estiramientos suaves de los músculos de la cara, la barbilla y el cuello, activa el músculo erector de la columna vertebral, posibilita una posición sentada erguida durante más tiempo.

Preparación

Sentado en el suelo con las piernas estiradas separadas a la anchura de las caderas, pies flexionados, las dos manos junto a la pelvis sobre el suelo, dedos de las manos señalando hacia los dedos de los pies, espalda erguida y estirada.

Respiración

Inspirar: Al elevar el cuerpo (mantener la posición brevemente).

Espirar: Al bajar el cuerpo y estirar la nuca.

Descripción del ejercicio

Tirar de la barbilla hacia el esternón (¡la espalda se mantiene estirada!). Alzar la vista y presionar los talones en el suelo, flexionar las rodillas, desplazar la pelvis hacia los talones, hacia delante y elevarla. La espalda, al mismo tiempo, se eleva en horizontal, las plantas y todos los dedos de los pies quedan clavados en el suelo. La mirada se mantiene dirigida hacia arriba, hacia el techo, ¡sin que la cabeza caiga hacia atrás! Hacer una respiración completa y mantener esta posición.

Bajar la pelvis, elevar la mitad delantera de los pies, apretar los talones contra el suelo y estirar las rodillas; simultáneamente, desplazar la pelvis entre las manos y volver a la posición inicial, sentado en el suelo con las piernas estiradas. Hundir la barbilla hacia el esternón sin curvar la espalda.

Duración: De 4 a 6 veces.

 Alineación corporal

 Hombros relajados

 Pelvis neutral

Consejo: *No levantar los talones al elevar el cuerpo. Las rodillas no deben quedar por delante de los dedos de los pies. Mantener relajadas la cara y la mandíbula.*

La mesa

Un cuerpo delgado y alineado simplemente con el estiramiento de los músculos abdominales transversos laterales: un método casero demostrado contra los michelines de la cintura. Un estiramiento agradable del grupo de músculos activados.

Preparación

Posición sentada erguida. Para facilitar la posición, puedes sentarte sobre un cojín o en una silla.

Respiración

Inspirar: Al prepararse: al mantener la posición.
Espirar: Al flexionar hacia un costado y al erguir el tronco.

Descripción del ejercicio

Flexionar las dos piernas hacia la derecha, con el pie izquierdo colocado junto al muslo de la pierna derecha. Llevar el pie derecho muy cerca de la pelvis para relajar la articulación de la rodilla, estirar el brazo derecho con las puntas de los dedos tocando el suelo. Después, elevar el brazo derecho junto a la oreja con la palma de la mano señalando hacia dentro. Flexionar el tronco hacia la izquierda, mientras se flexiona el codo izquierdo y se hunde hacia el suelo. La mano izquierda presiona contra el suelo y el brazo transmite esta resistencia profundizando la curvatura lateral en la columna. Para terminar, volver a erguir el tronco vértebra a vértebra.

De 4 a 6 veces por cada lado.

 Centro

 Respiración tranquila

 Hombros relajados

Consejo: *Estirar el hombro elevado: esto potencia el estiramiento de los costados del tronco. Dejar que cuelgue relajado el codo del brazo que está abajo, para que éste no curve el hombro hacia delante. Flexionar el tronco lateralmente contra una pared imaginaria, sin rotarlo.*

La sirena

Estira los muslos fortaleciendo la musculatura lateral exterior de los muslos, la pelvis y la espalda.

Preparación

Posición de decúbito lateral (tumbado de costado). Colocar las piernas relajadas flexionadas formando un ángulo recto. La cabeza reposa sobre el brazo estirado inferior, el otro brazo se apoya por delante del esternón, sin que el antebrazo toque el tórax.

Respiración

Inspirar: Al elevar la pierna.
Espirar: Al bajar la pierna.

Descripción del ejercicio

Llevar la pierna estirada de arriba hacia abajo, tirando de las plantas de los pies. Alzar la pierna en paralelo (la rótula señala hacia delante) al nivel de la cadera. A continuación, hundir la pierna casi hasta el suelo y volver a levantarla hasta el nivel de la cadera.

De 6 a 8 veces por cada lado.

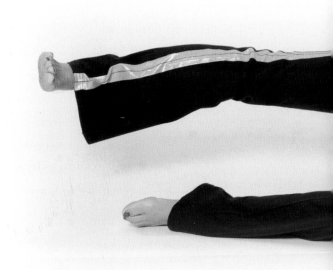

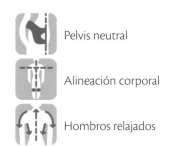

Pelvis neutral

Alineación corporal

Hombros relajados

Consejo: *No hundir la pelvis al elevar o bajar la pierna. Alzar y bajar la pierna por un pasillo imaginario. La tracción del codo hacia la cintura une el cinturón escapular con el centro de fuerza.*

Elevación pequeña de abductores

Unos muslos bonitos y hoyuelos en el trasero mediante la activación de la cara lateral exterior de los muslos, paso firme y mayor equilibrio corporal al estabilizar la musculatura de la pelvis y la espalda.

Preparación

Posición de decúbito lateral (tumbado de costado). Colocar las piernas relajadas flexionadas formando un ángulo recto. La cabeza reposa sobre el brazo estirado inferior, el otro brazo se apoya por delante del esternón, sin que el antebrazo toque el tórax.

Respiración

Inspirar: Al elevar la pierna.
Espirar: Al bajar la pierna.

Descripción del ejercicio

Estirar la pierna que queda por encima. Llevar la pierna estirada de arriba hacia abajo, tirando de las plantas de los pies. Alzar la pierna por encima del nivel de la cadera y seguidamente bajar la pierna casi hasta el suelo.

De 6 a 8 veces por cada lado.

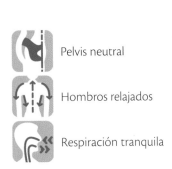

Pelvis neutral

Hombros relajados

Respiración tranquila

Consejo: *Elevar la pierna superior sólo hasta una altura en la que la pelvis no se incline.*

Elevación intermedia de abductores

Moldea unas piernas atractivas al fortalecer la cara lateral exterior e interior de los muslos, potencia un bonito movimiento al mejorar el equilibrio muscular.

Preparación

Posición de decúbito lateral (tumbado de costado), con las piernas estiradas ligeramente delante del eje del cuerpo. Estirar los empeines de los pies. La cabeza reposa sobre el brazo inferior que se encuentra estirado hacia arriba, el otro brazo se apoya por delante del esternón, sin que el antebrazo toque el tórax.

Respiración

Inspirar: Al elevar las piernas.
Espirar: Al bajar las piernas.

Descripción del ejercicio

Elevar las dos piernas a la vez con cada inspiración, colocándolas en el eje central, es decir, a la altura de la columna. Volver a bajar las piernas.

De 6 a 8 veces por cada lado.

Alineación corporal

Centro

Hombros relajados

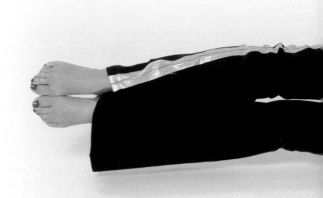

Consejo: *Elevar la pierna que está arriba solamente mientras la pelvis no se incline y el cinturón escapular no se levante (si sucede esto es señal de que las piernas están levantadas a demasiada altura). El movimiento procede de la articulación de la cadera.*

El torpedo intermedio

Potencia movimientos bonitos al mejorar el equilibrio muscular. Moldea unas piernas atractivas mediante el fortalecimiento de la cara lateral interior y exterior de los muslos.

Preparación

Posición de decúbito lateral (tumbado de costado), pero estirando el brazo superior paralelo al brazo inferior. Las palmas de las manos se mantienen hacia dentro y las dos piernas alzadas, a la altura de la columna o eje central.

Respiración

Inspirar: Al elevar la pierna de arriba.
Espirar: Al juntar y bajar las dos piernas.

Descripción del ejercicio

Elevar un poco más la pierna que está arriba, unir las piernas superior e inferior y bajarlas casi hasta el suelo con los lados interiores de los pies bien colocados uno junto a otro.

Variante

Mantener la cabeza levantada.

De 6 a 8 veces por cada lado.

Alineación corporal

Centro

Articulación maxilar relajada

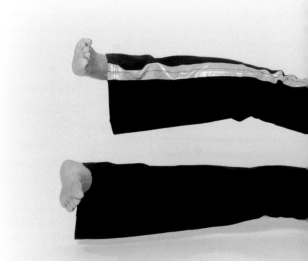

Consejo: *Con el tiempo los intervalos pueden prolongarse hasta 20 segundos.*

El torpedo máximo

La "elevación pequeña de abductores" estira las caras internas del muslo a través del fortalecimiento de cuatro músculos extensores importantes del muslo: abductor largo, mayor, corto y delgado.

Preparación

Posición de decúbito lateral (tumbado de costado), las dos piernas relajadas flexionadas formando un ángulo recto. La cabeza reposa sobre el brazo inferior estirado, el otro brazo se apoya por delante del esternón, sin que el antebrazo toque el tórax.

Respiración

Inspirar: Al elevar la pierna.
Espirar: Al bajar la pierna.

Descripción del ejercicio

Estirar la pierna inferior hacia abajo, con el empeine estirado. Elevar la pierna y después bajarla.

De 6 a 8 veces por cada lado.

Variante

Dibujar círculos con la pierna inferior.

Alineación corporal

Centro

Hombros relajados

Consejo: *Para optimizar la libertad de movimiento de la articulación superior de la cadera, colocar un cojín debajo de la rodilla flexionada en ángulo. No inclinar la pelvis al dibujar los círculos con la pierna. Mover la pierna desde la articulación de la cadera hacia fuera, el tamaño del movimiento circular es secundario.*

Elevación con la cara interior del muslo

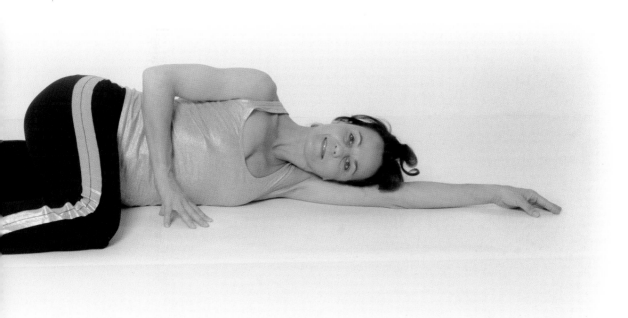

Pequeños círculos con los abductores que producen un gran efecto en el aspecto de las caras internas superiores del muslo.

Preparación

Posición de decúbito lateral. Las dos piernas relajadas flexionadas formando un ángulo recto. La cabeza reposa sobre el brazo inferior estirado, el otro brazo se apoya por delante del esternón, sin que el antebrazo toque el tórax.

Respiración

Inspirar: En el semicírculo superior.
Espirar: En el semicírculo inferior.

Descripción del ejercicio

Extender la pierna inferior hacia abajo, con el empeine estirado. Elevar la rodilla flexionada en ángulo al nivel de la cadera y describir círculos con la pierna inferior de manera uniforme.

De 6 a 8 veces en cada dirección y por cada lado.

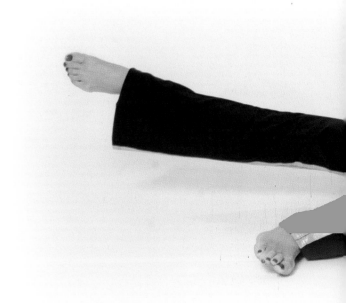

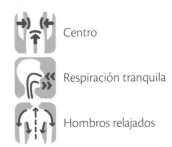 Centro

Respiración tranquila

Hombros relajados

Consejo: *La pierna flexionada dirige la cara exterior de la rodilla hacia fuera. De este modo se activa la musculatura de la pelvis. Pon atención en la alineación del eje del pie y de la pierna flexionada; deben quedar en paralelo para dar apoyo a la articulación de la rodilla.*

Círculos intermedios con la cara interior del muslo

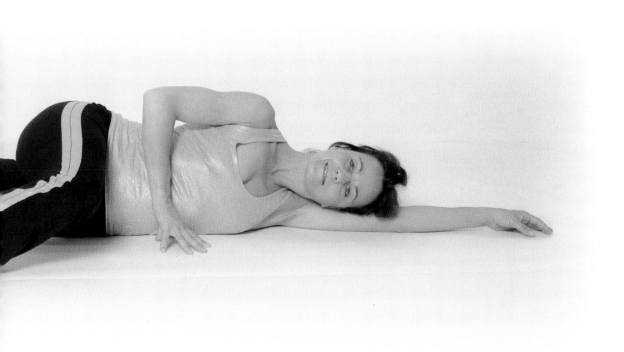

Mejora el atractivo físico de la cara interna superior del muslo.

Preparación

Posición de decúbito lateral (tumbado de costado). Extender hacia abajo la pierna inferior, estirando a la vez el empeine. Se puede elevar la planta del pie de la pierna flexionada en ángulo. Insertar el brazo superior entre el muslo y la pantorrilla, y, por último, agarrar la pierna por encima del tobillo.

Respiración

Inspirar: En el semicírculo superior.
Espirar: En el semicírculo inferior.

Descripción del ejercicio

Elevar la pierna estirada y comenzar a describir círculos.

De 6 a 8 veces en cada dirección y por cada lado.

Alineación corporal

Centro

Articulación maxilar relajada

Consejo: *Pon atención a la alineación del eje del pie y de la pierna; deben quedar en paralelo para dar apoyo a la articulación de la rodilla.*

Círculos grandes con la cara interna del muslo

Muslos delgados con el entrenamiento de la musculatura interior y exterior del muslo, moldea un trasero atractivo y potencia la fuerza y movilidad de las articulaciones de la cadera.

Preparación

Posición de decúbito lateral (tumbado de costado). La cabeza reposa sobre el brazo inferior estirado, el otro brazo se apoya por delante del esternón, sin que el antebrazo toque el tórax. Estirar las piernas relajadas en diagonal hacia delante (30-40º aprox.). Colocar la pierna inferior rotada hacia fuera (Pilates-V), flexionando los dedos del pie y con el talón hacia el techo. Alargar la pierna superior hacia abajo en la prolongación del eje central de la columna vertebral. Flexionar las plantas de los pies.

Respiración

Dos espiraciones rápidas: Dar una patada al frente 2 veces.
Inspiración profunda: Estirar/alargar hacia atrás.

 Alineación corporal

 Centro

 Respiración tranquila

Descripción del ejercicio

Dar dos patadas hacia el frente con la pierna superior estirada y el pie flexionado (entremedias retroceder la mitad).

Después, llevar la pierna hacia atrás. Cuando las dos piernas queden a la misma altura, estirar el pie que está arriba. Seguir estirando hacia atrás la pierna superior –detenerse a la altura de la cadera–. Volver a echar la pierna hacia atrás, flexionar el pie y dar dos patadas de nuevo al frente.

Repetir de 3 a 6 veces por cada lado.

Consejo: *¡Al tórax y la zona lumbar de la columna les gusta moverse en dirección contraria! ¡Mantener un buen equilibrio! No perder la altura de la pierna. Ayudar con el codo, en el contacto del cinturón escapular con el centro de fuerza, y no perderlo. ¡La respiración profundiza el movimiento!*

Patada lateral al frente

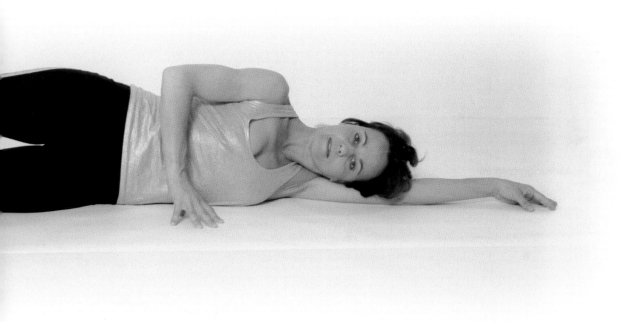

Alarga y fortalece las caderas, los glúteos y la musculatura de los muslos, estimula el metabolismo a través de la activación intensiva de la musculatura del *centro*, tiene un efecto positivo en el atractivo físico.

Preparación

Posición de decúbito lateral (tumbado de costado). Las dos piernas relajadas flexionadas en ángulo recto. La cabeza reposa sobre el brazo inferior estirado, el otro brazo se apoya con la mano en el suelo por delante del esternón, sin que el antebrazo toque el tórax.

Respiración

Inspirar: Al alargar/estirar la pierna estirada hacia atrás.

Espirar: Al llevar hacia delante la pierna flexionada, al doblar la rodilla.

Descripción del ejercicio

Extender la pierna superior hacia abajo. Estirar las plantas de los pies. Elevar la pierna superior a la altura de la articulación de la cade-

ra. Alargar la pierna hacia atrás —sin inclinar la pelvis—, flexionando la rodilla mientras el muslo se mantiene estable. Desplazar hacia delante la pierna flexionada sin inclinar la pelvis ni mover las vértebras lumbares. Estirar la pierna y llevarla en una prolongación hacia atrás sin perder la altura.

Al estirar la pierna hacia atrás, colocar la mano superior por encima de la pelvis para mantener el control. Al estirar la pierna hacia delante, colocar la mano sobre el muslo, para dirigir con precisión el movimiento de la articulación de la rodilla y ¡asegurarse de que el muslo no se mueva! ¡De este modo se intensifica el efecto del alargamiento!

Repetir de 4 a 6 veces por cada lado y en cada dirección del "pedaleo".

 Alineación corporal

 Centro

 Concentración

Consejo: *Esta forma de andar en bicicleta es muy exigente y eficaz. Conduce siempre concentrado y con una sonrisa.*

La bicicleta

Estiramiento exigente y efectivo, y extensión de la musculatura de piernas, pelvis y espalda, entrena el *centro*, la capacidad de coordinación y la estabilidad de la postura.

Preparación

Posición de decúbito lateral. Las dos piernas relajadas flexionadas en ángulo. La cabeza reposa sobre el brazo inferior estirado, el otro brazo se apoya por delante del esternón, sin que el antebrazo toque el tórax. Extender las piernas relajadas en diagonal hacia delante (15-20º aprox.). Colocar las dos piernas rotadas hacia fuera (Pilates-V), estirar los pies, los talones se tocan entre sí.

Respiración

Respiración tranquila y uniforme.

Descripción del ejercicio

Hacia delante: Flexionar la rodilla superior, los dedos del pie estirados se deslizan a lo largo de la pantorrilla de la pierna inferior hasta la altura de la rodilla, estirar después la pierna sin que el muslo se aproxime más al tronco. Flexionar el pie y después bajar la pierna extendida. Estirar el pie.

Inspirar: Al estirar la rodilla, flexionar el pie.

Espirar: Al bajar la pierna, estirar el pie y flexionar la rodilla.

Hacia atrás: Elevar la pierna superior con el pie flexionado en dirección al techo. Estirar el pie y flexionar la rodilla, sin desplazar de su posición el muslo. A continuación se deslizan las puntas de los dedos del pie a lo largo de la pantorrilla, estirando la rodilla, y se flexiona el pie.

Inspirar: Elevar la pierna extendida, estirar el pie.

Espirar: Flexionar la rodilla, extender la pierna, flexionar el pie.

De 4 a 6 veces en cada dirección y por cada lado.

Alineación corporal

Respiración tranquila

Centro

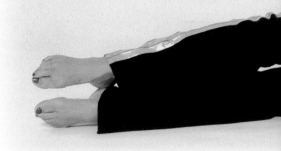

Consejo: *Visualiza el movimiento desde la articulación de la cadera, así será más preciso. A través de la rotación de la pierna, la pelvis se inclina ligeramente hacia atrás: ¡controla este desplazamiento "mínimo"! El brazo superior tiene una función estabilizadora.*

Passée Développée

Estimula la movilidad de las articulaciones de los hombros, fortalece la espalda, es beneficioso para el equilibrio. Puede tener un efecto favorable en la potencia sexual y la libido de las personas mayores.

Preparación

Posición erguida y natural, sentado en una silla o en el suelo con las piernas en cruz. Las manos colocadas sobre los hombros. Dirigir los dedos hacia delante y hacia abajo y los pulgares hacia atrás.

Respiración

Espirar (por la nariz): Al pendular hacia delante.

Inspirar (por la nariz): Al pendular hacia atrás.

Descripción del ejercicio

Balancear suavemente el tronco hacia delante y hacia atrás. Por último, inspirar, contener la respiración y dirigir la atención hacia la columna vertebral. Espirar con suavidad y sonreír.

Duración: 2 minutos.

 Articulación maxilar relajada

 Hombros relajados

 Pelvis neutral

Consejo: *Con este ejercicio se revitaliza la columna vertebral y se calma la mente.*

Balancear el tronco

Aplana el abdomen y relaja la región superior de la espalda. Posibilita una buena posición erguida, tanto de pie como sentado, mediante la alineación natural del eje del brazo y de la pierna, y la revitalización de las articulaciones de cadera y hombros.

Preparación

Posición de decúbito supino. Piernas alzadas flexionadas en ángulo recto, manos sobre las rótulas y codos flexionados, señalando ligeramente hacia abajo y hacia fuera.

Respiración

Inspirar: Al flexionar hacia atrás la pierna estirada, cambiando simultáneamente de mano.
Espirar: Al extender la pierna.

Descripción del ejercicio

Curvar la columna cervical y la caja torácica hacia arriba y, simultáneamente, extender la pierna derecha con el pie estirado hacia delante a 45° del suelo. Colocar la mano izquierda sobre la cara exterior de la pantorrilla izquierda, la mano derecha por encima de la rótula con las puntas de los dedos señalando hacia fuera.

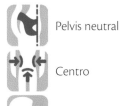 Pelvis neutral

Centro

 Respiración tranquila

Cambio de pierna y de brazo: Colocar la mano derecha sobre la cara exterior de la pantorrilla derecha, y la mano izquierda por encima de la rótula. Las cervicales se mantienen elevadas, sin levantar los hombros. Imagínate que quieres atraer hacia ti algo con tus piernas y al mismo tiempo empujar algo lejos de ti. De este modo toda la musculatura de tus piernas se activa de forma integral y se profundiza el efecto del ejercicio.

Variante

Realizar dos espiraciones y, al mismo tiempo, estirar respectivamente la pierna derecha o la pierna izquierda. Realizar dos inspiraciones y, simultáneamente, estirar cada vez la pierna derecha o la pierna izquierda.

De 6 a 8 veces cada pierna.

Consejo: *Imagínate que sobre tu abdomen hay dos cuerdas imaginarias que te ayudan a estirar de la pared abdominal hacia fuera.*

Estiramiento sencillo de piernas

Bonitos brazos y piernas mediante un estiramiento suave, una mejor respiración y centro corporal dinámico al activar las articulaciones de la cadera y los hombros. Fortalece el centro, y la musculatura de la pelvis, las piernas y la nuca.

Preparación

Posición de decúbito supino. Piernas alzadas flexionadas en ángulo recto, pies juntos, rodillas abiertas a la anchura de los hombros, manos sobre las rótulas, codos flexionados, señalando ligeramente hacia abajo y hacia fuera. La columna cervical y torácica curvada y alzada.

Respiración

Inspirar: Al extender piernas y brazos.
Espirar: Al curvar la columna (cervical y torácica) y recoger piernas y brazos.

Descripción del ejercicio

Extender las piernas y mantener los pies rotados hacia fuera. Al mismo tiempo, estirar los dos brazos a los lados sobre la cabeza inclinados hacia arriba. Realizar el proceso con rapidez.

Para recuperar la posición inicial, flexionar las rodillas despacio y recoger los brazos hacia delante en un semicírculo. Colocar las manos de nuevo sobre las rótulas.

Repetir de 4 a 8 veces.

 Centro

 Hombros relajados

 Respiración tranquila

Consejo: *Al principio los antebrazos no se bajan por debajo de las orejas, ¡pues resultaría difícil mantener la posición del cuerpo levantado y curvado! Bajar las piernas hacia el suelo sólo mientras la parte inferior de la espalda no se eleve.*

Estiramiento doble de piernas

Estira la cara posterior del muslo mediante un alargamiento persistente, moldea el abdomen y la cintura y facilita un movimiento ágil al entrenar la coordinación, la estabilidad y el centro.

Preparación

Posición de decúbito supino. Piernas alzadas flexionadas en ángulo recto, pies juntos, rodillas separadas a la anchura de los hombros, manos sobre las rótulas, codos flexionados señalando ligeramente hacia abajo y hacia fuera. La columna cervical y torácica curvada y alzada.

Respiración

Inspirar: Al cambiar de pierna.
Espirar (dos veces): Al acercar la pierna superior hacia el tronco.
Paso 1: Acercar.
Paso 2: Acercar más.

Descripción del ejercicio

Extender las piernas. Bajar una pierna a unos 45º del suelo, agarrar la otra pierna por la cara externa de la pantorrilla con las dos manos de forma relajada. Acercar la pierna de arriba en dos pasos lentamente. Los brazos sirven como apoyo. Las dos rodillas se mantienen completamente estiradas.
Cambiar a la otra pierna.

De 4 a 8 veces cada pierna.

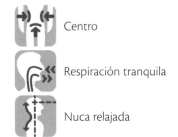

Centro

Respiración tranquila

Nuca relajada

Consejo: *Mantener el cuerpo levantado y curvado. Extender la pierna delantera sin que la parte inferior de la espalda presione contra el suelo. El tronco no se levanta de forma extra con la fuerza de los brazos.*

Las tijeras

Cintura delgada y flexible mediante el entrenamiento de la musculatura de la zona superior e inferior del abdomen, alarga la nuca y la cara posterior de los muslos a través de un estiramiento efectivo: ¡un desafío para profesionales!

Preparación

Posición de decúbito supino. Piernas alzadas flexionadas en ángulo recto, con la cara interna de las piernas unida. Manos detrás de la cabeza, dedos entrelazados, columna cervical y torácica curvada y elevada. Mantener los codos dentro de la visión del ojo, sin cerrarlos demasiado.

Respiración

Inspirar: Al elevar las piernas.
Espirar: Al bajar las piernas.

Descripción del ejercicio

Mantener la columna cervical y torácica bien alzada. Bajar las dos piernas y volver a elevarlas. Las piernas descienden sólo hasta donde la pelvis no se incline y la zona inferior de la espalda y el tronco no se eleven. Mantener la región occipital de la cabeza y las manos con una ligera y constante presión y contra-presión. No dejar que los codos bajen de su posición.

Repetir de 4 a 8 veces.

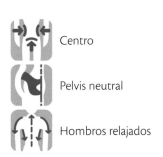

Centro

Pelvis neutral

Hombros relajados

Consejo: *Bajada lenta de las piernas dependiendo de la fuerza, y aumentar según el estado físico del día.*

Elevación doble de piernas

Potencia una movilidad grácil en la zona de los hombros y la cintura al activar los músculos abdominales oblicuos, revitaliza el centro, la nuca, la espalda y la cara posterior de los muslos. ¡Muy exigente!

Preparación

Posición de decúbito supino. Piernas alzadas flexionadas en ángulo recto, con la cara interna de las piernas unida. Manos detrás de la cabeza, dedos entrelazados, columna cervical y torácica curvada y elevada. Mantener los codos dentro de la visión del ojo.

Respiración

Inspirar: Al flexionar la pierna estirada mientras se realiza hacia atrás la torsión del tronco.
Espirar: Al extender las piernas, al realizar la torsión del tronco.

Descripción del ejercicio

Extender la pierna derecha hacia delante en un ángulo de unos 45° con el suelo, simultáneamente, atraer la pierna izquierda un poco hacia el tronco y elevar el hombro derecho hacia la rótula izquierda. Mantener los codos abiertos, sin cerrarlos demasiado. Girar el tronco de nuevo hacia la posición inicial sin bajarlo. Al mismo tiempo, flexionar la pierna derecha, extender la izquierda y rotar el tronco hacia la derecha y hacia arriba, y después hacia el otro lado.

De 4 a 8 veces por cada lado.

Alineación corporal

Centro

Hombros relajados

Consejo: *Imagínate a unos pequeños ayudantes que tiran suavemente y de forma constante en la dirección respectiva en los codos y las puntas de los pies. De este modo conseguirás realizar el movimiento con el mejor efecto y utilizar tu musculatura tridimensionalmente.*

Estiramiento individual oblicuo

Joseph Pilates: impulsor, pionero e inventor

En pantalón corto bajo una ventisca de nieve. Ésta es la biografía resumida de un hombre excepcional.

El padre, un atractivo griego, un famoso atleta de competición; la madre, una extraordinaria naturópata alemana. El pequeño Joseph padecía estrés y asma. Seguramente también porque el aire en el entorno en el que vivía la familia Pilates, la Comarca del Ruhr, en la década de 1880 estaba bastante contaminado. Los padres le motivaron de forma exitosa a practicar ejercicios de respiración y gimnasia. Siendo adolescente, Pilates tenía un cuerpo con el que podía posar como modelo para libros de anatomía. Con 20 años realizó una gira por Alemania e Inglaterra como atleta de exhibición y boxeador de concurso. Durante la Primera Guerra Mundial trabajó como terapeuta auxiliar en un campo de concentración. Los prisioneros que entrenaron con él sobrevivieron a la gripe, mientras otras muchas personas murieron a causa de ella. En el período de entreguerras, Pilates trabajó como entrenador en Hamburgo. En esa época conoció a interesantes y prominentes talentos del movimiento como Max Schmeling (campeón mundial de boxeo) y Rudolf von Laban (fundador de la danza expresionista alemana). En los años veinte se asentó en Nueva York. Sus conocimientos, su carisma y sus contactos con deportistas y bailarines le hicieron en-

seguida muy popular y le convirtieron en un experto muy solicitado.

Joseph Pilates demostró que, en tiempos de depresión económica, el movimiento y el fitness podían servir como un instrumento personal para dar un giro a la situación. Después de todo, este pionero aterrizó con sus ideas directamente en el centro geográfico y cronológico de la crisis económica mundial de los años veinte. La crisis no detuvo la marcha triunfal de Pilates, y de modo tranquilizador tampoco nuestra época actual de crisis.

Pilates alcanzó un puesto de renombre como entrenador de artistas y gente de negocios. Trabajó en su estudio de Nueva York con bailarines famosos como Ted Shawn y prósperos mánagers. También entrenó grupos de hasta doce participantes al aire libre rodeado de naturaleza. En su trabajo unía ejercicios de respiración, ejercicios gimnásticos normales, ejercicios de equilibrio escogidos de la danza y ejercicios de coordinación extraídos del deporte de combate. Los programas de entrenamiento de Pilates conseguían una mejoría asombrosa en la alineación corporal de sus alumnos. Éstos aumentaban de forma impre-

En la actualidad están muy difundidos los grandes aparatos desarrollados por Pilates para la alta competición, como el "reformer".

sionante su capacidad de coordinación y de concentración con los ejercicios avanzados.

Pilates fue seguramente uno de los primeros genios del "ego-márketing". Fomentó su popularidad y su persona elevándolo al concepto de marca. Hacía footing en invierno con pantalones cortos por las calles nevadas, haciéndose fotografiar. Documentaba los éxitos de entrenamiento de sus alumnos con numerosas fotografías. Describió su trabajo en dos manuscritos en 1934.

Pilates hizo realidad su sueño y se convirtió en modelo, promotor y maestro en una sola persona. Muchos de sus ejercicios e ideas se utilizan hoy en el mundo entero. El número de personas que entrenan según el método Pilates aumenta cada año.

Pero también inventó y desarrolló una serie de aparatos de entrenamiento. Muchos de ellos se siguen utilizando hoy en día, aunque naturalmente con el paso del tiempo se han adaptado los materiales y el diseño al nivel tecnológico actual (ver foto).

Especialmente notables son sobre todo los pequeños inventos de Pilates como el entrenador de respiración, manos, articulaciones y dedos de los pies (*toe corrector*) o el corrector de equilibrio y de pies. Estos pequeños medios auxiliares para el entrenamiento muestran lo importante que es en Pilates el entrenamiento integral. De este modo fue como Pilates enseñó a sus alumnos a tener una conciencia corporal. Con ayuda de estos pequeños e inteligentes artilugios para el entrenamiento, sus alumnos podían revitalizar las zonas de su cuerpo desatendidas durante años. Pilates tuvo la visión de entrenar a sus alumnos con la mente y el cuerpo y, en el verdadero sentido de la palabra, "desde la cabeza hasta el pie". Y lo consiguió, como siguen consiguiéndolo sus alumnos en la actualidad.

Pilates recomendó este ejercicio a sus alumnos. Gráfico según la película original de Joseph Pilates.

Pilates experimentan un agradable estado de tranquilidad y un grato aumento del rendimiento integral.

La eficacia del método Pilates ha sido analizada científicamente. El resultado confirma lo que Joseph Pilates descubrió hace 50 años: "¡Después de diez horas uno siente ya la diferencia y después de veinte horas ve la diferencia!"

"El control consciente de cuerpo, mente y conciencia (*Body, Mind and Spirit*) es la clave de nuestra salud." (Joseph Pilates)

En resumen

En el entrenamiento de Pilates la respiración y el movimiento van sincronizados (coordinación). El objetivo es el aumento del rendimiento físico mediante la atención concentrada (concentración). Respiración, movimiento y concentración favorecen el equilibrio del cuerpo en su eje natural (centro). El cambio fluido entre tensión y relajación muscular potencia la restauración del equilibrio muscular, lo que libera a la persona de las preocupaciones cotidianas y del estrés. De este modo se crea una buena base para un entrenamiento exigente y efectivo. Las personas que practican

La ciencia exacta aplicada al método Pilates

"¿Qué aportan 20 horas de entrenamiento de Pilates divididas en 10 semanas?" La investigadora deportiva Irene Heider publicó en noviembre de 2007 el primer estudio sobre Pilates en lengua alemana*.

Se investigó si, y en qué medida, el entrenamiento de Pilates puede mejorar la fuerza máxima, el rendimiento constante y la capacidad de coordinación de la musculatura abdominal. A lo largo de 20 horas, 11 mujeres participantes entrenaron en grupo. El período de estudio ascendió a diez semanas, en cada una de las cuales se completaron respectivamente dos unidades de entrenamiento de 60 minutos cada una.

*Los ejercicios para el estudio fueron escogidos por la autora. El entrenamiento se realizó en Viena en el estudio Rebase (www.rebase-wien.at) y en la Academia Pilates (www.pilates.at).

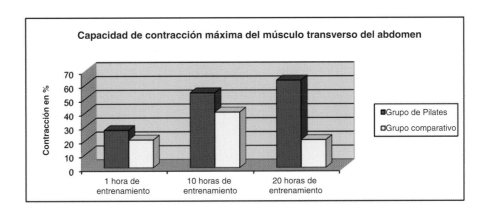

Capacidad de contracción máxima del músculo transverso del abdomen

(Eje Y: Contracción en % — 0, 10, 20, 30, 40, 50, 60, 70)

Categorías: 1 hora de entrenamiento · 10 horas de entrenamiento · 20 horas de entrenamiento

Leyenda: ■ Grupo de Pilates · □ Grupo comparativo

El diagrama muestra la variación de la fuerza máxima de la musculatura abdominal profunda *(músculo transverso del abdomen)*. Observa el aumento en el grupo de entrenamiento del 27 por ciento de la primera hora de Pilates al 63 por ciento en la vigésima hora de Pilates. Las columnas rojas representan el resultado graduado del grupo de entrenamiento de Pilates.

Los valores del grupo comparativo no entrenado con Pilates están representados en color rosa. En el grupo comparativo de entrenamiento, la capacidad de contracción del músculo transverso del abdomen después de 20 horas es igual de baja que antes de la primera medida (20 por ciento).

Se evaluaron los resultados de entrenamiento de las participantes. Promedio de edad entre 40 y 50 años, promedio de estatura 166,27 cm. El grupo comparativo, que no entrenó con el método Pilates, era cinco años más joven de promedio, una altura aproximadamente igual, y un peso medio de unos 15 kg menos.

En el estudio se pudo comprobar también que en el grupo de Pilates mejoraron la capacidad de coordinación de la musculatura abdominal (alrededor del 65 por ciento) y el rendimiento constante (en torno al 10 por ciento).

Antes del comienzo del estudio se preguntó a las participantes con qué expectativas comenzaban a entrenar Pilates. Tres participantes declararon que esperaban mejorar la alineación corporal, reforzar la musculatura y mejorar el bienestar físico en general. Otras dos participantes declararon que deseaban mejorar la movilidad. Otras querían adelgazar, un centro corporal más fuerte, relajar la musculatura de la columna vertebral y una mejora de la conciencia corporal y del estado físico.

Para comprobar la veracidad de la cita de Pilates, *"Después de diez horas se siente la diferencia"*, se preguntó a las participantes del grupo de Pilates después de 20 horas de entrenamiento si sus expectativas se habían cumplido. El 81,8 por ciento de las participantes declaró que sí se habían satisfecho sus expectativas.

Respuestas a la pregunta:

"¿Se han cumplido tus expectativas?"

Otra cita más del estudio: "Estos (…) resultados muestran que el entrenamiento guiado de Pilates, mediante las correcciones precisas, dirige la activación del músculo transverso del abdomen y que el entrenamiento guiado de Pilates mejora también la resistencia de la fuerza del músculo transverso del abdomen."

La valoración de las preguntas demuestra algo asombroso: las promesas que suenan bien también pueden ser, a veces, verdad.

Al comenzar

Mi agradecimiento y felicitación a todos los lectores (hombres y mujeres) por querer mejorar sus conocimientos del movimiento y el comportamiento del mismo.

Con ello ya has dado el primer y más importante paso. El camino te enseñará que el cuerpo es un pequeño universo en el que tú mismo puedes moldear muchas cosas. Tu nueva conciencia corporal te proporcionará sensaciones de bienestar e incluso de felicidad, sin invertir dinero, viajar lejos o tener que cambiar tu vida completamente.

Una simple respiración consciente ayuda a tomar conciencia de uno mismo y del entorno, y a actuar de otra manera.
No se trata de una promesa vacía. Tú mismo puedes comprobarlo, por así decirlo, en una sola respiración.

Recuerdo con enorme agradecimiento a las personas extraordinarias que me han ayudado en este libro.

"Dirige tu atención siempre al centro del cuerpo.
Presta atención a tu voz, a cómo hablas.
Escucha a tu prójimo con el corazón."

Jae-Sheen Yu, Maestro de Sundao

Bibliografía en alemán

Brötz, Doris, Michael Weller y Anne Bleick, *Ihr Aktivprogramm bei Bandscheibenleiden: Endlich wieder schmerzfrei. Dauerhaft belastbar bleiben. Gezielt zu den richtigen Übungen*, Stuttgart: Trias, 2006.

Froböse, Ingo, *Das neue Rückentraining Bewegung und Muskelstärtung statt Schonung. Abwechslungsreiche Übungen in 3 Intensitätsgraden. Extra: Rücken-Programm für den Alltag*, München: Gräte & Unzer, 2006.

Haider, Irene, *Die Steigerung der Aktivierung des Muskulus Transversus Abdominis durch Pilates-Training*, Wien, Magisterarbeit zur Erlangung des Magistergrades der Naturwissenschaften am Zentrum für Sportwissenschaft und Universitätssport der Universität Wien, 2007.

Hüter-Becker, Antje und Dölken, Mechthild, *Biomechanik, Bewegungslehre, Leistungsphysiologie, Trainingslehre*, Stuttgart: Thieme, 2004.

Jochum, Inka, *Neue Lebensenergie: Die 5 Qi-Gong Basisübungen nach Meister Li Zhi-Chang*, 2. Aufl., München: Nymphenburger Verlag, 2005.

Khalsa, Dharma Singh, Stauth Cameron, *Meditation as Medicine: Activate the Power of Your Natural Healing Force*, New York: Fireside Books, 2002.

Klein, Dieter, Wolfang Laube, Jochen Schomacher, Britta Voelker, *Biomechanik, Bewegungslehre, Leistungsphysiologie, Trainingslehre*, Stuttgart: Thieme, 2005.

Krämer, Jürgen, *Bandscheibenbedingte Erkrankungen: Ursachen, Diagnose, Behandlung, Vorbeugung, Begutachtung*, Stuttgart: Thieme, 2006.

Larsen, Christian, *Füsse in guten Händen: Spiraldynamik – programmierte Therapie für konkrete Resultate*, 2. überarb. Aufl., Stuttgart: Thieme, 2006.

Lowen, Alexander, *Depression. Ursache und Weg der Heilung*, München: Kösel 1979.

Pilates, Joseph H., *The Complete Writing of Joseph H. Pilates: Return to Life Through Contrology and Your Health*, Philadelphia: Bainbridge Books, 2000.

Smisek, Richard y Katerina Smiskova, *40 Übungen zur Regeneration der Wirbelsäule: Prävention und Heilung von Wirbelsäulenbeschwerden mit der Rücken SM-System Methode*, Prag: Eigenverlag: Dr. R. Smisek, 2005.

Tittel, Kurt, *Beschreibende und funktionelle Anatomie des Menschen*, München/Jena: Urban & Fischer, 2003.

Wenzel, Gerhard, *Qigong. Quelle der Lebenskraft*, Edition Tau 1995.

Bibliografía en español

Ackland, Lesley, *15 minutos de Pilates* (6.ª edición). Madrid. Ediciones Tutor, S.A., 2006.

— , *10 minutos de Pilates con balón*. Madrid. Ediciones Tutor, S.A., 2004.

Austin, Denise, *Pilates para todos* (5.ª edición). Madrid. Ediciones Tutor, S.A., 2008.

Menezes, Allan, *Guía completa de las técnicas de Joseph Pilates*. Madrid. Ediciones Tutor, S.A., 2009.

Pohlman, Jennifer, *Programa paso a paso de Pilates* (7.ª edición). Libro + DVD. Madrid. Ediciones Tutor, S.A., 2008.

— , *Segundo programa paso a paso de Pilates*. Libro + DVD. Madrid. Ediciones Tutor, S.A., 2005.

— , *Programa paso a paso de Pilates con banda elástica*. Libro + DVD. Madrid. Ediciones Tutor, S.A., 2006.

— y **Rodbey Searle**, *Programa paso a paso de Pilates con balón*. Libro + DVD. Madrid. Ediciones Tutor, S.A., 2008.

Agradecimientos

Dedico este libro a mis maestros:

Alan Herdman	www.alanherdmanpilates.co.uk
Alexander Toth, DO. PT	www.babynet.at
Bob Liekens	www.powerpilates.com
Elizabeth Larkam	www.sfbayclub.com
Franziska Ullmann, Univ Prof Dipl-Ing.	www.ebner-ullmann.com
Franz Kiener, Mag. Arch.	www.architektur-kiener.at
Gordon Thomson	www.bcpilates.com
James Chaffers, Dr. Professor of Architecture	www.umich.edu
Khalsa, Meditation	www.drdharma.com y www.kundaliniyoga.org)
Kathy Corey	www.westcoastpilates.net
Lohtar Pöhlitz	www.la-coaching-academy.de
Lynne Robinson	www.bodycontrol.co.uk
Marie-José Blom	www.longbeachdance.com
Rael Isacowitz	www.raelpilates.com
Roland Schaufler, Dr. med.	www.praxis-schaufler.at
Yu Jae-Sheen	www.floweroflife.org

Mi profundo agradecimiento también a las muchas personas especiales que me han ayudado en este libro.

Un agradecimiento especial a Dimo Dimov (fotos), Ursula Polster (equipamiento), www.wohnsalon-p.at, Marion Wächter (moda), www.footsteps.at, a los editores Christoph Mandl y Marie-Therese Pitner y –como siempre– a mi pareja, Stefan Mayer.